SEVILLA

INCAFO

SEVILLA

COVADONGA DE NORIEGA
JUAN ANTONIO FERNANDEZ

Prólogo e Introducción:

RAMON ESPEJO Y PEREZ DE LA CONCHA
Presidente del Excmo. Ateneo de Sevilla

INCAFO

Editor:	**Luis Blas Aritio**
Director editorial:	**Margarita Méndez de Vigo**
Documentación fotográfica:	**Teresa Alonso**

Diseño:	**Alberto Caffaratto**

Copyright derechos universales ❤ **Incafo, S.A.**
Reservados todos los derechos

Edita:	**Incafo, S.A. Castelló, 59. 28001 Madrid (España)**
Filmación:	**Click-art, S.A. Madrid**
Fotomecánica:	**Cromoarte, S.A. Barcelona**
Impresión:	**Julio Soto, S.A. Torrejón de Ardoz, Madrid**
Encuadernación:	**Alfonso y Miguel Ramos, S.A. Madrid**

I.S.B.N.:	**84–85389–78–6**
Depósito legal:	**M–33489–1990**

CONTENIDO

PRÓLOGO

CANTO A SEVILLA

Cantar de cantares quisiera ser el texto de este libro. Sin pretensiones bíblicas, por supuesto, aunque de bibliografía se trate. Tampoco se persigue el canto de los cantos, lo que sería vano y presuntuoso. Simplemente deseo interpretar modestamente una canción más, entre las muchas ofrendas artísticas o literarias que en la historia han sido para esta ciudad singular. O como un breve y popular pregón callejero de sus virtudes, de su cuerpo secular, de su alma espléndida, de su esencia entrañable, tales como yo las veo, las intuyo o presiento.

Consiguientemente no hay que buscar en estas páginas erudiciones originales ni datos científicos productos de la investigación profesional. Y ello sencillamente porque no soy historiador ni descubridor estudioso. Ni siquiera es mi intención elaborar una guía turística de la llamada por José Mª Izquierdo ciudad de la gracia. Las hay muy buenas aquí, y no es cuestión de competir ni de practicar intrusismos. La gracia, además, se otorga gratis, sin carriles prefabricados. Basta divagar por Sevilla y que uno se pierda por los pródigos rincones de esta urbe, que todo lo demás se dará por añadidura.

Este texto se perfila, sin narcisismos chauvinistas, como un sendero umbrío entre calores y sofocos agosteños de un mundo absorbente, que pueda conducir al paseante hasta la contemplación serena, sosegada y fresca de la belleza plástica que encierran las fotografías de ese artista de la cámara que es Juan Antonio Fernández Durán. Se me antoja para ello intentar construir con palabras ese sendero, orlado de arriates y arrayanes, que desempeñe la función misma de un compás de convento sevillano, tránsito silente y recoleto hacia el trance admirativo de lo estético, como si se tratara de Santa Paula, Santa Inés, San Clemente, Santa Clara … Si fuera capaz de ayudar al lector a "escuchar" los silencios de Sevilla o a gozar de sus bellos oasis acechados de hostiles desiertos, ya podría darme por satisfecho. Lo demás lo hará Sevilla.

ALGUNOS HITOS HISTÓRICOS

No es posible entender a Sevilla sin recordar sus antecedentes más importantes. Todos somos hijos de nuestro pasado. Y se ha dicho hasta la saciedad que quien no conoce su historia está condenado a repetirla.

Dejemos a un lado los poblamientos primitivos de la zona que se remontan a la prehistoria, a varios milenios antes de Cristo, y de los que existen vestigios arqueológicos de la cueva de Guadalcanal, y los dólmenes de Castilleja de Guzmán y Valencina. ¿Qué se puede decir de una ciudad tan antigua, a estas alturas de la historia, que no esté ya dicho?

Evoquemos solamente su ascendencia turdetana, propiamente ibera, y su descendencia de los tartesos, así como el dominio de los cartagineses, sustituido más tarde por el poder de los romanos, que crearon Itálica, joya todavía actual, aunque tan diezmada, de nuestro acervo histórico-artístico. En sus inmediaciones se fundó Híspalis, uno de los cuatro conventos jurídicos de la Bética. ¡No va a ser culta Sevilla si es hija de Roma!

¿Y cómo podría dejar de ser católica si estuvo en la época visigoda bajo el cetro del santo Rey Hermenegildo, mártir de su fe, y dirigida espiritualmente por San Isidoro y San Leandro?

Cinco siglos de influencia musulmana marcaron imborrablemente el alma de este pueblo y dotaron de indolencia, sensibilidad y fantasía a Isbiliyya, precedente etimológico de Sevilla.

Vino luego otro santo Rey, Fernando III, el conquistador castellano de este reino moro que, junto con su hijo Alfonso X, al repartir las tierras conquistadas, crearon el latifundio que en cierta medida persiste actualmente como nota distintiva de la clasista infraestructura sevillana.

Los Reyes Católicos, la Corona en definitiva, puso orden en la díscola nobleza de estas tierras, y el descubrimiento de América y el Siglo de Oro supusieron el gran despegue de Sevilla, en torno a la Casa de la Contratación, y a sus artistas y escritores.

Sevilla decae después, en beneficio de Cádiz, y entra en la vorágine política del XIX con la invasión francesa, la pérdida del imperio de ultramar y los gobiernos inestables. Lo demás no es más que una consecuencia, sobradamente conocida. Y así, aunque a vuelapluma, llegamos a la Sevilla de hoy que, junto con la del futuro, es la que más debe importarnos. La Sevilla que, en frase de muchos, supo conquistar a sus conquistadores. La Sevilla mezcla y entresijo de culturas ancestrales, dispares y antitéticas que fueron, no obstante, catalizadas en el crisol caliente de una tierra singular e irrepetible. Ella es obra de los siglos. ¡Bendita sea por siempre!

EL ALMA DE SEVILLA

"Alma muy trasegada por los siglos y las razas, sabia en su silencio, sorprendente en sus salidas, huidiza en la finura de sus manifestaciones más personales". Así define a Sevilla Joaquín Romero Murube, ateneísta de pura cepa, taciturno escritor y poeta, conservador de los Reales Alcázares, escuchador de misas dominicales en un rincón oscuro de la Iglesia del Hospital de los Venerables, un sevillano cabal que encontró al fin "los cielos que perdimos".

Esta ciudad tiene un alma compleja pero grande. Más grande que su cuerpo, a pesar del estirón que está dando. En pocas palabras, el equipo Alfar ha dicho de ella: "Sabiduría, arte, dolor, belleza y un especial espíritu vital constituyen, entre otros puntos, las bases sobre las que se asienta el concepto de lo sevillano".

Las gentes de esta tierra tienen una forma peculiar de ser. Como otros pueblos, pero tal vez más diferenciada. Pienso que la contradicción puede ser en nosotros una virtud y un defecto. Por eso mismo somos contradictorios: alegres y melancólicos; pesimistas y optimistas; hospitalarios y encerrados; senequistas y contestatarios; narcisistas y acomplejados; extrovertidos e intimistas; profundos y aparentes; indolentes y trabajadores; universales y pueblerinos; religiosos y profanos; guasones y serios.

Sevilla tiene una especial sensibilidad para lo estético. Esta actitud tal vez sea herencia musulmana, acrecentada por el poso que nos dejaron tantas culturas con sedimentos artísticos sólidos y perennes.

Es ciudad abierta al exterior, a la que "se puede llegar por tierra, mar y aire", como dijera Pemán literalmente hablando, pero con palabras que intuyo cargadas de un sentido metafórico de acceso multiforme a la esencia universal y cosmopolita.

Su puerto fluvial, único en España, a ciento veinte kilómetros del mar, es un valor entendido pero olvidado. Sin embargo, con la pleamar, subieron por él brisas de otras tierras, de otros mares y de otras culturas asimiladas a lo largo de la historia.

También por esa vía llegaron el oro y las canciones de ultramar, materia y espíritu, ingredientes sabiamente dosificados de la catálisis sevillana. Por Bajo Guía vinieron modas y modos de convivencia, y el río fue cordón umbilical y acuático que ha quedado casi obstruido por la inoperancia de un canal abortado. Iban y venían por sus aguas las goletas evocadas ahora por Antonio Burgos, María Dolores Pradera y Carlos Cano, con aires de sevillanas habaneras. ¡Oh reducto romántico de un río sin presente ni futuro, que no va a ninguna parte!

¿Por qué tantas palabras sobre el Betis cuando del alma sevillana hay que hablar? Muy sencillo: No hay Sevilla sin Betis ni Betis sin Sevilla. ¡Salve, Guadalquivir fecundo y castrado!

SU CUERPO

Es curioso que, a veces, los foráneos ayuden a los sevillanos a reparar en la fisonomía propia de la ciudad, que a los nativos había pasado desapercibida en muchos detalles. Baste citar algunos de estos personajes.

Vicente Traver y Tomás, arquitecto venido a Sevilla desde las montañas del Maestrazgo, nos descubrió que en esta ciudad "la calle es sólo el espacio que queda entre las casas ... su fin es solamente darles entrada". Y también observó que "tanto atraen la atención los zaguanes y patios que para ver las fachadas se precisa pasar a la acera de enfrente". Pienso que el narcisista que todo sevillano lleva dentro es el que hizo decir en alguna ocasión a su arquitecto: Hágame en este solar un patio con amplios corredores y, si sobra sitio, algunas habitaciones alrededor.

El patio y los patinillos -los pocos que subsisten- son manifestaciones corpóreas de nuestro intimismo a veces casi ególatra. Están hechos para gozar del interior más que para ser admirados desde fuera. Su "sentido lujoso y decorativo", según Romero Murube, "hace que aquella pieza de la casa adquiera categoría de salón abierto a un supremo techo celeste, festonado por el trémulo encaje de unas parras, de unos pacíficos, de unos jazmines". Y el patinillo, también llamado jardinillo, segundo patio, pequeño, sito al fondo de la casa, más lejos del exterior, más velado aún a la curiosidad de los extraños, "apenas exige nada. Un arriate, un chorro de agua, unas flores, un pedazo de cielo". ¿Pero a todo esto llamaba "nada" quien había perdido los cielos sevillanos? Desde luego, todo es relativo.

Para otro forastero, el argentino Larreta, los jardinillos de Sevilla son "como esos patios de monasterio que hacían mirar hacia arriba". Hacia arriba y hacia dentro, añadiría yo, pero poco hacia el lado, al otro, al próximo. Es otra manifestación plástica del yoísmo. Pero el jardinillo es también receptáculo adecuado para "un poco de verde en una casa, que es como una poca de esperanza en la vida", según Fernán Caballero.

Todo cuerpo tiene un olor. El de Sevilla es de azahar y de jazmines. Pero Jean Cau, otro descubridor de esencias, que no hace falta decir que es francés, nos pone en guardia contra afrancesamientos: "Escaparates atestados de perfumes franceses con aromas distinguidos. Eso es grave:... Por suerte, todavía hay olores que se obstinan en inundar Andalucía, el de los cirios, los lirios y los claveles de la Semana Santa sevillana, de las boñigas de los caballos en los patios de caballos y de las bostas de toros reventando en los intestinos en los desolladeros de las plazas". Visión propia del naturalismo de Zola pero realista, reveladora una vez más de nuestros contrastes.

Sevilla casi se ha quedado sin los olores del patio, sin los patios. Saludemos esas rehabilitaciones que conservan los pocos que restan o recrean hogaño algunos viejos patios como centros de comunidades de propietarios, con apartamentos modernos y funcionales pero estéticamente dignos, construidos en derredor. Son como la superación progresista de los corrales o casas de vecinos de antaño. O quizás como productos de la socialización de amplias casonas de ilustres patricios desaparecidos o venidos a nada.

LAS PUERTAS

La parte más noble del cuerpo humano es, para mí, la testa. La cabeza tiene varias puertas, unas para entrar, otras para salir, algunas para ambas cosas. Por los ojos entra la luz, el color, la imagen. Por la boca entra la renovación de la vida y sale lo que más se parece a Dios: la palabra. Tanto se parece, que la Palabra se hizo carne. Por la nariz entra la brisa, el oxígeno, la vida también. Por los oídos nos llega nada más y nada menos que la melodía del mundo, en forma de trinos, música y silencios. Sin oídos no existirían los silencios de Sevilla, como sin Dios no existiría la nada, ni siquiera el ateísmo. Gracias al ateísmo existe Dios.

Siete puertas tiene la testa humana. Pero Sevilla tuvo al menos trece. Sevilla es así, superadora hasta del propio hombre. Trece puertas casi todas desaparecidas pero legadas para la historia en los dibujos de B. Tovar, realizados en 1878. Por ellas entraron y salieron tantas personas y tantas cosas. Salió el aliento para el nuevo mundo. Entró la riqueza del nuevo mundo. Salieron emigrantes. Entraron nuevos pueblos. Salió el Quijote, entraron las Cantigas. Salió inerte el cuerpo de Isidoro para León. Entró Fernando con la Virgen de los Reyes. ¡Cuántas historias podrían contarnos esas puertas!

Nos queda una, por la que sale y entra triunfalmente una gitana de ojos profundos como el mar que vuelve loca a Sevilla cada madrugada de Viernes Santo. ¡Ay puerta de Macarena, con remates de saetas, como "palabras que atraviesan el corazón", cual dijera Antonio Mairena!

La puerta de la Victoria o de Abdelazis, que es la puerta lateral del Alcázar y que parece arrancada del Corán. Puerta de Córdoba, por donde regreso la Hiniesta, traída por Monsen Per de Tous, tras seis siglos de excursión por tierra catalana. Puertas de Carmona y Jerez, ojos abiertos a la vega del Guadalquivir, en actitud expectante y receptora. Puerta de Triana, que "es Sevilla que sigue", en frase lapidaria del poeta gaditano. Puerta del Arenal, que debieron hacerla los Reyes Mayos que por Arenal venían. Puerta de la Almenilla o de la Barqueta, tan próxima a Santa María de las Cuevas, a donde llegaría Colón y llegará el mundo en los días ya próximos de una efemérides cinco veces centenaria. Puertas de la Carne y del Osario, vida y pudridero, otra vez los contrastes de Sevilla. Puerta del Sol, rey de esta ciudad y de su luz. Y puerta Nueva o de San Fernando, rey que la conquistó, que la patrocina y que duerme incorrupto su eterno sueño, como escabel, a las plantas de Santa María de los Reyes, patrona de la Archidiócesis.

LA EXPRESIÓN ORAL

A veces, cuando sube más allá de Despeñaperros, el sevillano siente complejo de inferioridad por su forma de hablar. Permítanme una anécdota personal. Al terminar la carrera de Derecho, preparé unas oposiciones que se desarrollarían en Madrid. Acosado por el complejo filológico del sur, me propuse pronunciar castellano puro en el ejercicio oral, y para ello hice entrenamientos. El resultado fue que, al llegar a la capital de España y tomar un taxi, tras cambiar cuatro palabras con el taxista, me preguntó: ¿Eres canario, verdad? Todas mis gimnasias lingüísticas se derrumbaron. Abandoné los ejercicios de calentamiento y expuse ante el tribunal los temas como mi madre Sevilla me enseñó a hablar. Y aprobé.

Filólogos de la talla de Manuel Alvar han acabado con ese complejo, al acuñar la expresión "norma sevillana" para referirse científicamente al habla de Sevilla. La norma sevillana es para Manuel Angel Vázquez Médel una modalidad diferenciada del español. Pero no tiene necesariamente carácter peyorativo, sino simplemente distinto e incluso positivo: "La entonación más variada y ágil; el ritmo más rápido y vivaz; la fuerza espiratoria menor; la articulación más relajada… y la impresión palatal y aguda del andaluz contrastan con la gravedad del acento castellano" (Lapesa).

Más aún, empieza a estar de moda el habla sevillana fuera incluso de nuestra tierra. No sólo en los países hispanoamericanos, donde esta influencia obviamente es histórica a partir del descubrimiento, sino en el resto de España. Hace más de cinco lustros, Gregorio Salvador afirmaba: "… a la vuelta de doscientos o trescientos años, la oleada andaluza habrá alcanzado la costa cantábrica y la actual pronunciación del castellano será reliquia rastreable por los dialectólogos en algunos escondidos valles de la montaña".

En nuestros días, como observa Vázquez Médel, el acceso de andaluces y sevillanos a puestos de alta decisión en la sociedad y en los medios de comunicación, ratifica esa tendencia. Según este profesor de Lengua Española, 1992 puede ser el hito de la cimentación definitiva de la norma sevillana. Con ello, los tres siglos profetizados por Salvador quedarían reducidos a tres decenios.

¡Animo, Sevilla! No acicales tu lingüística ante los millones de forasteros que vienen. Tú, como tantas veces en la historia, con tus propias normas, "sacarás" las oposiciones y serás conquistadora.

EL ARTE ESTÁTICO

Ya dije que este texto no es una guía turística. Pero al hablar de esta ciudad, ¿quién no se detiene ante la Giralda, cuya "sombra misma sobre Sevilla es una estampa de sombra iluminada", según el pintor Alfonso Grosso, y de la que Pemán dijera: "La Giralda "salió" así más que así se pensó"?

¿Quién no entra en la Catedral, que se construyó para que tuvieran por locos a sus autores; y en su Sacristía Mayor, de la que Felipe II afirmara: "Mejor sacristía tenéis que yo Capilla Real"?

¿Quién no accede a Santa Marta, que no es una plaza sino un cacho de cielo vivo que se cayó en Sevilla, no se rompió y encima floreció?

¿Quién pasa de largo ante el Alcázar o los Alcázares, palacio moro y cristiano, con tanta historia hispana contenida entre sus murallas; o ante el Archivo de Indias, donde América duerme viva; o ante San Telmo, a donde vino un Rey de España a "echarse" novia; o ante el Palacio Arzobispal, evocador de Leandro e Isidoro?

¿Quién no pasea de día por calle Sierpes y de noche por plazas de Santa Cruz, Alfaro o Doña Elvira, o por los callejones del Agua, del Aire o de la Pimienta, cuyos solos nombres son tan sugerentes como sus estrecheces y arquitecturas?

¿Quién no evocará la Exposición Iberoamericana del 29 en el esplendor de las plazas de España y América, con el Museo Arqueológico, o el Paseo de la Palmera, arteria sureña por donde se cuela la "salada claridad" de Cádiz?

¿Quién no irá a rezar o simplemente admirar la belleza escultórica de Jesús del Gran Poder, de la Pasión o el Silencio; o la perfección de Macarena, la hermosura de Esperanza de Triana, el patetismo del Cachorro, la serenidad del Cristo de los Estudiantes o la pena honda de la Virgen de la Amargura?

No deje de ver el Museo de Bellas Artes y sus patios, el Hospital de la Santa Caridad y el de los Venerables, las iglesias del Salvador, San Luis y Anunciación, con el panteón de hombres ilustres, donde descansa Jacinto Ilusión.

Ni la Torre de Don Fadrique, donde María Coronel quemó su rostro con aceite hirviendo para eludir los acosos de Pedro I el Cruel.

Atraviese el puente de Isabel II y piérdase por Triana, sus alfarerías, sus cerámicas y su calle Betis, una de las más singulares y hermosas del mundo, desde la que podrá admirar el paisaje urbano de la Real Maestranza de Caballería, la Catedral en su perspectiva más completa, y la Torre del Oro emulando en belleza a la Torre Fortísima.

Vaya a Alameda de Hércules, que atravesó inerte José en su último paseíllo, y alárguese hasta la necrópolis sevillana para admirar su mausoleo de Benlliure. Así trata Sevilla a sus toreros muertos.

Y no olvide la Universidad hispalense, la de Maese Rodrigo, antigua Fábrica de Tabacos, hoy de ideas, y a las cigarreras que inspiraron a los hermanos Quintero, y a Carmen, la musa musical de Bizet.

Es sólo un índice incompleto e inacabado. Vean, que Sevilla les incitará a ver mucho más.

LA CULTURA DINÁMICA

Los monumentos de Sevilla, obras de la cultura histórica, conviven profusamente con agentes culturales dinámicos, actuales y vivos que hacen la cultura de nuestros días. La Universidad hispalense, con sus facultades, escuelas especiales, colegios mayores, institutos de investigación, etc., es un factor dinamizador de las ciencias, las letras, las artes y la técnica. Todo ello es poco novedoso porque todo ello es el contenido y la misión propia de cualquier Universidad.

Sin embargo, de poco tiempo a esta parte, la Universidad de Sevilla ha salido a la calle para conectar con la sociedad. Así, se ha convertido de un centro de instrucción en un órgano que, además de eso, hace cultura para los que no son universitarios: conferencias, conciertos, exposiciones, representaciones …Su Servicio de Publicaciones merece destacarse en esa función extrauniversitaria o social. Y algunas agrupaciones nacidas y amparadas en su interior coadyuvan eficazmente en esta tarea. Todo ello, a pesar de los múltiples problemas que acucian a la Universidad española en general.

Sevilla cuenta con tres Reales Academias, instituciones de un gran prestigio histórico, que realizan una meritoria labor de investigación y difusión: Medicina, Buenas Letras y Bellas Artes de Santa Isabel de Hungría. A ellas han venido a sumarse otras de más reciente creación: Ciencias, Veterinaria y Jurisprudencia.

Sería imposible citar a todos los centros culturales de la Sevilla actual. Las Cajas de Ahorros, dotadas de poderosos medios, realizan una gran labor en este campo, así como otras entidades públicas y privadas y fundaciones recientemente creadas. Se observa un exuberante resurgimiento de la inquietud cultural en esta ciudad, que otrora fue proclamada "Roma triunfante en ánimo y nobleza".

Pido, sin embargo, licencia al lector para referirme separadamente, por razones obvias, al Ateneo de Sevilla. Razones de un mejor conocimiento de su historia y de su labor, a las que añadiré la sinrazón del cariño que profeso a una institución ya secular, a la que pertenezco desde hace más de cinco lustros y que modestamente presido desde hace dos años. Ella me ha dado más de lo que yo haya podido darle. Hasta el punto de que ustedes están leyendo al presidente del Ateneo más que a un escritor con nombre y apellidos propios.

EL ATENEO

El Ateneo de Sevilla tiene ciento tres años de existencia. Su historia es, en cierto modo, la historia de la cultura sevillana de ese siglo de vida. Una cultura más integral y popular: conferencias, mesas redondas, coloquios, tertulias, exposiciones, proyecciones cinematográficas, representaciones teatrales, conciertos, agrupaciones musicales (Coro y Quinteto de Viento), concursos literarios y artísticos, entre ellos el de novela, uno de los primeros de España ... Un palmarés que he pretendido sintetizar en su himno recien nacido, con música de José Mª Benavente:

> Entidad ya centenaria,
> en tan ilustre tribuna
> disertan los pensadores
> de la hispánica Cultura
> Tus tertulias y concursos
> son de artistas y escritores
> y a letras, artes y ciencias
> otorgas tus galardones

Las dos aportaciones históricas más importantes del Ateneo han sido a mi juicio la Generación del 27 y la cimentación del regionalismo en Andalucía. En su tribuna proclamó Blas Infante el Ideal Andaluz en 1914 y se dictaron verdaderas tesis sobre las autonomías, que habrían de venir más de setenta años después. Volvamos al himno:

> Docta Casa sevillana
> que a ideales andaluces
> diste cuna como a patria
> que luminosa resurge.
> Generación literaria
> del veintisiete español
> se fundó por tu llamada
> y fue de España el honor

Pero la obra más querida de esta institución quizás sea la Cabalgata de Reyes Magos de Sevilla. ¿Obra de una entidad cultural? Sí. ¿Acaso no es cultura la creación de treinta carrozas decoradas artísticamente cada año? No es cultura hacer feliz a más de quinientas mil personas en una noche, distribuir miles de juguetes y "tirar" cinco toneladas de caramelos? Así lo canta el himno:

¡Castillo de Reyes Magos!
con fantasía y tesón,
Ateneo en Epifanía
eres del niño clamor.
Cabalgata de ilusión:
Melchor, Gaspar, Baltasar
y la Estrella de Sevilla
que ilumina el Arenal

Fue un invento de un poeta visionario, José Mª Izquierdo, que no podía llevar otro seudónimo que Jacinto Ilusión.

En la nómina de los Magos del Ateneo –setenta y tres años ininterrumpidos saliendo a la calle, incluso cuando la guerra del 36– figuran hasta un premio Nobel, Jacinto Benavente; escritores como Pemán, Marquina y Juan Ignacio Luca de Tena; artistas como Antonio; toreros como Belmonte, Ordóñez, Curro o Pepe Luís; ganaderos como Miura, Pablo-Romero o Pérez de la Concha; empresarios como Areces, Javier Benjumea o Ruíz Mateos; títulos nobiliarios como Alba, Paradas, Méritos o Peñaflor; comisario como Olivencia; políticos como Rodríguez de la Borbolla, del Valle y Rojas Marcos, y otras muchas personalidades sevillanas y españolas imposibles de citar aquí.

¡Hay tanto que hablar del Ateneo! Pasen por calle Tetuán y les seguiré contando. Pido al editor que no me cobre publicidad. Y termino con el estribillo del himno de esta entidad, tres veces excelentísima: Gran Cruz de Beneficiencia, Gran Cruz de Alfonso X el Sabio y Medalla de Oro de la Ciudad.

¡Ateneo de Sevilla
antena de la Ciudad
el Olimpo de Atenea
y antorcha de claridad!

LOS JARDINES SEVILLANOS

Los jardines de Sevilla, como sus monumentos, son incontables. El más estudioso técnico en la materia, José Elías Bonells, nos instruye abundantemente sobre ellos. De él y de su obra hemos aprendido la nomenclatura bellísima de los cientos de plantas y flores que habitan en Sevilla. Con esos nombres ojalá pudiéramos hacer un hermoso poemario, ramillete lírico de ensoñaciones infinitas. Pero nos apremia la prosa, en el texto y en la vida.

Contra el "stress", nada mejor que sumergirse una mañana temprano o al caer la tarde de la primavera sevillana, en los jardines que embellecen esta ciudad, cuyos títulos son de por sí plácidos y sugerentes: Jardines de las Delicias, de Murillo; Jardín de Mercurio, de la Danza, de la China, de los

Poetas, que se incluyen en el conjunto de los Jardines del Alcázar. Toponímicos tan orientativos como Jardines de San Telmo –donde por cierto se ubica el "Castillo" de los Reyes Magos del Ateneo–; de Catalina de Ribera; de la Lonja, que orlan el Archivo de Indias junto a estatuas de animales; de Cristina, con evocaciones de Vicente Aleixandre; de Isabel II; de las murallas de la Macarena; de Capuchinos, llevados a la copla popular; de Chapina, lindando ya con la Expo.

Son muchas también las plazas ajardinadas, como patios públicos o jardinillos de todos los sevillanos. Unas son bulliciosas, como las del Duque o la Gavidia; otras recoletas, como las del Museo, Teresa Enríquez, Cristo de Burgos o San Lorenzo. Otras, casi místicas, templos marianos, como Sevilla toda lo es hasta en su escudo. Así la plaza del Triunfo, con el monumento a la Inmaculada, velado por acacias; del Salvador, cuya estatua de Martínez Montañés parece haber terminado de tallar a Jesús de la Pasión; de la Magdalena, ornada de naranjos y palmeras; de Pilatos, con acacias negras; de la Concordia, con el actual Parlamento Andaluz.

Tiene también Sevilla sus parques modernos, no tantos como debiera, pulmones de grandes barriadas pobladas de bloques, como Amate, Nervión y Los Remedios, con su parque de los Príncipes, más bien de carácter inglés. Pero, ante todo, posee Sevilla un legado ecológico infinito en su valor: "El Parque", por antonomasia, el de María Luisa, mundialmente famoso, donado a la ciudad por esta Infanta de España, hermana de Isabel II y duquesa de Montpensier. Quien quiera soñar, abstraerse, leer, inspirarse, dibujar, pintar, escribir, amar, oir trinos y silencios, que vaya a este Parque, único en el universo. Contemple madroñeros, álamos, acacias, eucaliptus, plátanos, castaños, mirtos ... Embriáguese con el color y el olor de sus flores: rosas, buganvillas, pasionarias, adelfas, gerános ... Alfonso Grosso interpelaba: "no olvidemos que el alma de una ciudad es su color. Color; toda nuestra vida en Sevilla es eso: color". Él lo dijo también con sus pinceles en los patios floridos de los conventos sevillanos. Y Bacarisas, llanito afincado en Sevilla, también lo proclamó con sus cuadros, cátedras por sí solos del colorido de las flores. Admírese también en el Parque los monumentos de Bécquer, reducto de romanticismo, y de la Infanta donante; las glorietas de José Mª Izquierdo, hermanos Machado y Álvarez Quintero, Rodríguez Marín, Cervantes, Torcuato Luca de Tena, Luis Montoto ...

Si existió en Sevilla un poeta jardinero, ese fue Romero Murube, inquilino del Alcázar y paseante solitario de sus Jardines. Desde su concepción lírica de las cosas, nos dejó dicho: "El jardín de Sevilla nos produce una dulce serenidad, honda y placentera, porque nos transporta rápida y decisivamente hacia la abstracción y hacia el ensueño".

–¡Drogadictos!: ¿Por qué no probais la droga gratis del Parque de María Luisa? ¿Por qué no emprendéis ese "viaje"?

LA SEMANA SANTA

D ijo Muñoz y Pabón que nuestra Semana Santa es el pasaje evangélico de la Pasión de Cristo según Sevilla. Como si la ciudad fuese el quinto evangelista. Verdaderamente es certera la observación. Esta Semana Santa es distinta a otras. Para algunos es motivo de escándalo, pero es debido a que no han penetrado tal vez en el alma singular de este pueblo y les parece que aquí se hace fiesta hasta del drama religioso. A mí me parece que, aún con excepciones siempre existentes, se trata sólo de una forma de ser y manifestarse.

En el fondo, esta festividad sevillana es profundamente teológica y trascendente. ¿Qué diferencia puede separar el júbilo cuaresmal de los sevillanos de aquella expresión ortodoxa: Feliz culpa la que nos trajo al Redentor? El drama no se repite, se conmemora, y el sevillano lo celebra con alegría, como la onomástica de un santo el día de su fallecimiento o martirio.

Con alegría y con lujo lleva Sevilla a sus Vírgenes en el "paso" de palio, recubriéndolo de platas, bordados de oro, flores, velas, joyas, marfiles y riquezas. Con profusión adorna también a sus Cristos, como la pecadora le ungía con caros perfumes. Sevilla ama mucho, tal vez porque haya pecado también mucho. Esta ciudad es barroca en todo.

Y el cofrade, al que algunos tachan de superficial, es persona que una vez al año, como mínimo, suele recibir los sacramentos de su fe en la función de Hermandad, y que a la hora suprema se acuerda de sus imágenes para llamar a las puertas del más allá. En esta época, cuando la fe decae y el hedonismo crece vertiginoso, nada está definitivamente perdido mientras exista este rescoldo cofradiero.

Cofrades que hacen, además, penitencia corporal con capirote, antifaz, cinturón de esparto, cruz al hombro y pies descalzos. Hermandades que, con los defectos humanos ineludibles, practican durante el año la convivencia y solidaridad cristianas en obras sociales, educativas y benéficas, y crean puestos de trabajo para bordadoras, floristas, orfebres, artesanos, músicos y ... poetas.

Para los no creyentes, la Semana Santa de Sevilla es por lo menos una explosión estética de armonía, belleza y lirismo. Imágenes portentosas e históricas de insignes escultores, orfebrería barroca, artificios de la madera y la cera, sinfonía floral en cada "paso" de Cristo o de Virgen, marchas procesionales de exquisita e inspirada composición, saetas como dardos que llevan el "veneno" de la quintaesencia del cante andaluz, desfile de procesiones por jardines, plazas y rincones típicos de la ciudad, claroscuros de madrugada, soles que reverberan en canastillas doradas, contrastes luminosos de hachones y candelerías de cera, esfuerzo duro y habilidoso de capataz y costaleros, que sortean rejas, balcones y esquinas, meciendo además el "paso" con arte y amor.

Tal vez sea perfectible, pero nada hace pensar que vaya a perderse la Semana Santa de Sevilla, arraigada e "in crescendo" como una sinfonía integral. Es un fenómeno religioso, que asciende a veces las cimas del misticismo sin olvidar la ascética, pero que tiene también mucho de cultural, artístico, turístico y social. Es un espléndido poliedro con múltiples facetas. Cada cual puede encontrar en ella algo peculiar, positivo y hermoso.

LA FERIA

A los críticos de la Semana Santa sevillana, que ven en ella algo profano so pretexto religioso, habría que decirles: Profana, lo que se llama profana, la Feria. Sevilla no necesita como otros la religión para divertirse, porque tiene la Feria nada más que para eso, para pasarlo bien. Para bailar, cantar, comer, beber, montar, reir, hablar ... hablar ... y hablar, en una caseta, desde que empieza la noche hasta que vienen las claritas del día.

La Feria de Abril es un inmenso espectáculo de sensualidad. Luminoso y colorista, que entra y se graba en la retina para siempre; que penetra hasta el olfato con olores de claveles reventones; que satisface al paladar con vino, manzanilla, jamón y marisco, o papas con carne, garbanzos o paella; que alegra el oído al compás de la guitarra; que seduce como la tersura de la piel de la mujer en primavera.

La Feria es paseo de caballos y de coches antiguos enjaezados a la usanza de la época, es calle de infierno, es turrón, bisutería, algodón comestible, chocolates, calentitos, tiro al blanco, buenaventura de gitana. Es mañana, tarde, madrugada, amanecer. Es circo, teatro y toros. Es flamenco, fox lento, bolero, pasodoble, rumba, seguiriya y, sobre todo, sevillanas, eso que se baila en New York. Es hombre, mujer, niño, joven, anciano ... Es madrileño, catalán, inglés, francés, italiano, escocés, japonés, chino ...

En la Feria encontrará farolillo, lona, albero, polvo, agua, encaje, madera, tubos, papel, bombillas, óleo, dibujo, cerrajería, búcaro ... No es en modo alguno un reloj. No lo mire ni lo busque. Allí no lo encontrará.

Verá el faralae, la mantilla, la peineta, el traje corto, el sombrero de ala ancha y los abrigos de visón cuando la madrugada aprieta. Y la pulsera y los pendientes de pasta, de brillantes o esmeraldas. El zapato, las botas y los botos. Los mantoncillos y el mantón de Manila bordado a mano.

Consejos: No coma ni cene, porque luego hay que seguir bebiendo y comiendo, aunque le siente mal. Si no, el anfitrión se enfada. Coma y beba continuamente, pero poco. Así podrá estar veinticuatro horas seguidas en la Feria. Estar en ella sin beber, ni lo intente. Y si no puede ya físicamente beber más vino, disimule y deje que le llenen la copa sin beberla, pero no la rehuse jamás. No le perdonarían.

No discuta con nadie. Ni siquiera con su cónyuge. Haga como el del chiste: Si es usted gordo, por ejemplo, y alguien le pregunta por qué, usted puede contestar que por no discutir. Si el otro le replica que eso no es la causa, dígale: Pues será por otra cosa. Y si alguien le increpa, contéstele: Aquí tiene un amigo.

¡Ah!... búsquese una caseta ... si la encuentra. Si no, lo pasará mal o no tan bien. En cualquier caso, si no vive en Sevilla, le aseguro que volverá a la Feria del próximo año.

OTRAS FIESTAS

El Corpus Christi es fiesta netamente sevillana, con rancio abolengo e historia secular. Como suele ocurrir, las víspera es, si cabe, más alegre que la festividad misma. Desde la mañana comienza el decorado de escaparates y balcones en las calles del itinerario de la procesión. En otras calles también se colocan velones y colgaduras, así llamados los ricos tejidos que se cuelgan de las barandas de los balcones. "Hoy hay que colgar", es una antigua expresión sevillana que se refiere a ese rito. Recuerdo oirla a mi madre, año tras año, con una reverencia casi mística.

Se instalan altares en la vía pública con motivos eucarísticos y concepcionistas. En Sevilla no se concibe Eucaristía sin Inmaculada. Ante la fachada plateresca del Ayuntamiento, se levanta un monumental altar que es presidido, desde el amanecer del jueves que reluce más que el sol, por la imagen de la patrona del Municipio: La Virgen Gloriosa de la Hiniesta, que es traída a hombros por los hermanos en rosario de la aurora desde el lejano barrio de San Julián. También el Cristo de la Sagrada Cena es llevado en procesión a otro altar instalado en el Palacio Arzobispal.

La custodia de Arfe, todo plata, es portentosa y discurre pisando juncia y romero esparcidos por el suelo y traídos de las sierras inmediatas. Le acompañan otros "pasos" con imágenes espléndidas: Santa Justa y Rufina, San Leandro, San Isidoro, San Fernando, la Inmaculada, el Niño Jesús y una custodia pequeña con una espina de Cristo. La procesión es larguísima, con representaciones e insignias de hermandades y cofradías, instituciones y autoridades. Los acompañantes visten uniforme o traje oscuro.

En el mes correspondiente, Sevilla es invadida por numerosos "pasitos" con la Cruz de Mayo de la que pende la sábana santa y que son portados por niños. Son escuelas de futuros cofrades. En corrales, patios y recintos apropiados se celebran también en el mes de las flores fiestas para honrar la Santa Cruz y que se denominan así mismo Cruces de Mayo. Tienen carácter de diversión, en las que se canta y baila.

Las veladas son fiestas que se organizan en los barrios determinados días del año. La más importante es la "Velá de Santiago y Santa Ana", a finales de julio, en la popular Triana. Se iluminan sus calles, se montan algunas casetas y chiringuitos y se celebran concursos náuticos en el río.

Hay que señalar también las romerías que desde Sevilla se ponen en marcha hacia el Rocío, en la provincia de Huelva, y regresan después de Pentecostés. Cada hermandad lleva una carreta con el estandarte de la Virgen, cubierto con un palio o templete. La acompañan caballistas y devotos con traje corto y de flamenca que hacen el camino a caballo o a pié. En otras carretas van enseres y viandas, para una semana, y en su interior, cubierto de lonas, duermen los romeros en medio de las marismas del Coto de Doñana.

Tiene también su encanto en Navidad los coros de campanilleros, que actúan en la vía pública. Son niños y jóvenes que, con la alegría de sus villancicos, anuncian desde primero de diciembre el feliz acontecimiento.

En todas estas fiestas se observa una vez más la componente religiosa, que no decae, de los festejos populares sevillanos.

LOS TOROS

Feria y toros son fiestas profanas de Sevilla. De la llamada Fiesta Nacional, sobradamente conocida en sus técnicas, artes y ritos, poco puede decirse en este texto que no sea mundialmente conocido. Sí hay que detenerse en la Plaza de Toros de la Real Maestranza de Caballería, catedral del toreo y una de las principales, por no decir la primera, de todo el mundo. Es centro de la tauromaquia, en torno al cual gira la afición más entendida y las aspiraciones de toreros y ganaderos, que tanto se prodigan en Sevilla y su entorno.

En 1760 se inició su construcción para sustituir a otra plaza de madera, insuficiente y cuadrada, que existía en el mismo lugar, y que por su geometría fomentaba la querencia del toro. La obra fue terminada por Juan Talavera en 1880. Desde el punto de vista estético, es la más hermosa y alegre de las plazas taurinas. La puerta principal o del Príncipe, de grandiosa factura, constituye el sueño dorado de todos los toreros. Salir por ella a hombros supone alcanzar la máxima distinción profesional.

Manuel Bendala nos describe la plaza como "sencillamente clásica, con el interior de piedra, salvo la arquería de ladrillos sobre columnas de mármol; portada con columnas toscanas y dóricas; puerta interior jónica y corintia, palco regio con cúpula de piedra tallada grecorromana". Este palco es presidido solamente por el Rey y la Familia Real. El Hermano Mayor de la Maestranza ha sido tradicionalmente el Rey de España. Hoy, por especial y honrosa excepción, lo es el Conde de Barcelona, padre de su Majestad.

Desde los palcos, gradas y tendidos de sombra, puede admirarse la Giralda como si pretendiese asomarse para presenciar la corrida. La perspectiva bien podría calificarse como una de las maravillas del mundo. La plaza es baja, lo que unido al color del genuino albero de su piso, traído expresamente de las cercanas canteras de Alcalá de Guadaira, le da una luminosidad esplendorosa. Usar en la Maestranza la terminología colorista de los trajes de luces: oro, plata, azabache, catafalco, grana, nazareno, tabaco, purísima …, es como recitar una letanía de refulgente colorido y armonía cromática sin precedentes. Las frases de Alfonso Grosso sobre el color en Sevilla, antes transcritas, fueron pronunciadas por el pintor después de salir una tarde de toros de esta plaza.

Se ha reiterado en este texto la expresión "silencios de Sevilla". Pues bien, la más expresiva significación de este concepto es el "silencio de la Maestranza" cuando el diestro inicia la faena, cita al toro o se perfila para matar. No se oye una mosca. Pero se "oye" el silencio.

Por este coso pasaron los mejores toreros de la historia. Y afortunadamente hubo pocas cogidas mortales. Imposible citar sus nombres y los de los ganaderos que se esmeran enviando aquí sus ejemplares más selectos. La feria taurina de Sevilla, que se inicia el Domingo de Resurrección como un auténtico rito, es el termómetro que marca el nivel de categorías y calidades que han de regir la contratación en la incipiente temporada.

Finalmente, dos palabras sobre la Institución propietaria. Con las rentas que produce el alquiler de este singular monumento, la Maestranza lo mantiene en perfecto estado de conservación año tras año y, además, promueve generosamente la cultura con becas de estudios universitarios, premios en concursos de bellas artes, publicaciones históricas, conciertos de música, atenciones a problemas sociales, rehabilitación de otros monumentos, etc.

La Real Corporación, a la que el Ateneo otorgó su máxima distinción honorífica, el Premio "Joaquín Romero Murube", es modelo de altruismo y filantropía. Sin ella, posiblemente, no habría toros en Sevilla. Y sin toros, Sevilla no sería Sevilla.

TRABAJO

A la vista de todo lo que antecede, el lector no sevillano podrá preguntarse: ¿Y en Sevilla se trabaja? Claro que se trabaja. Son muchos los sevillanos que empalman una madrugada de Feria con sus labores profesionales de la mañana siguiente, cuando de día laborable se trata. Y el lunes siguiente al domingo final, fue declarado fiesta local bajo el nombre de "lunes de resaca", pero la costumbre no arraigó. Este año ha sido sustituido por el jueves del Corpus.

La economía sevillana sigue siendo primordialmente agrícola y ganadera, con una industria que despunta y crece lentamente y un comercio y demás servicios que aumentan en satisfactoria proporción. Destaca sobre todo la actividad constructora. Por otra parte, la capitalidad autonómica de la región ha supuesto numerosos puestos de trabajo, fundamentalmente en servicios públicos. Por todo ello, la clásica figura del señorito andaluz, hijo de papá o rico por su cuna, puede considerarse una reminiscencia histórica.

Tienen especial arraigo los oficios artesanales: Los alfareros, que trabajan el barro cocido en hornos: cántaros, botijos o búcaros, dornillos para majar el gazpacho, tinajas, lebrillos …, aunque estos objetos están ya más destinados al recuerdo que a su utilización.

Se trabaja también la cerámica, cuyos orígenes se remontan al Neolítico, y que tiene en la decoración importante fuente de ingresos. La loza se hizo hasta hace unos años en la famosa Cartuja, hoy rescatada para el magno acontecimiento de la Expo que se avecina. Pero la tradicional fábrica no se ha cerrado, trasladándose a Santiponce.

Los talleres de bordados y los orfebres sevillanos alcanzan renombre mundial, y la ciudad es, hoy como ayer, pródiga en pintores, poetas y escultores. Hay que renunciar a citarlos en evitación de omisiones impuestas por el espacio. Los carteles oficiales de las Fiestas Mayores constituyen una colección valiosísima de los mejores pintores de cada época.

La ciudad sufrió en otros tiempos el éxodo de emigrantes, conjuntamente con movimientos inmigratorios de la población rural, origen de las populosas barriadas modernas. A toda cara corresponde también su cruz. No todo en Sevilla es bello. Ahí está la pobreza de algunos sectores; el paro, aún mitigado por subsidios; un importante número de cerebros universitarios inactivos; la marginación y la droga. La dependencia agrícola, el subdesarrollo industrial y la inmigración de extranjeros en la miseria, exigen soluciones inmediatas en un pueblo laborioso que, no obstante la inclemencia veraniega de su clima, está dotado de un gran espíritu creador y de trabajo.

INSTITUCIONES INFORMALES

En Sevilla existe un puñado de valores entendidos superpopulares. Algunos están dotados de personalidad jurídica. Otros, sin ella, pero considerados indiscutibles por todos bajo esta expresión: "Es una institución".

Así, el Real Betis Balompié. Sin detrimento para el Sevilla Futbol Club, que cuenta con numerosos socios y con una afición selecta y amplia, "er Beti" es una institución "manque pierda", querido por un gran número de sevillanos de dentro y fuera de la ciudad, popular en toda España, tanto en primera como en segunda división.

Las Hermanas de la Cruz, dedicadas hasta el heroísmo a pobres y desvalidos, cumplen una función social irreemplazable en una ciudad con tantos problemas de este tipo. No creo que tengan ni un solo enemigo. Sevilla las respeta y ama como algo propio. El monumento, humilde como ellas, dedicado a la fundadora, Madre Angelita, beatificada por Juan Pablo II en su visita a Sevilla, tiene flores permanentemente. Se la venera como una gran santa.

Los Seises, grupo de niños que, por privilegio especial concedido por el Vaticano, cantan y bailan ante el Santísimo Sacramento en las grandes solemnidades litúrgicas de la Catedral: Corpus, Inmaculada y Quincuagésima o Carnaval, constituyen también una estampa clásica de la Sevilla insólita. Son acompañados en sus danzas por música de cámara y visten trajes de época (siglo XVI).

Tiene la Hermandad de la Macarena una centuria de soldados romanos, con banda de cornetas y tambores, que acompañan a "Pilatos", como popularmente se denomina al "paso" de Cristo de esta cofradía, que representa el momento en que el gobernador lo sentencia. Pues bien, los integrantes de la centuria son conocidos por el pueblo como los "armaos" de la Macarena, y gozan de una gran simpatía.

Y aunque a la Cabalgata de Reyes Magos ya me he referido, baste añadir que, a pesar de ser una actividad del Ateneo, es reconocida por todos como una de esas instituciones informales de la ciudad, patrimonio en cierto modo común, ya que son muchísimos los particulares y entidades que colaboran económicamente a su financiación.

DETALLES Y CURIOSIDADES

En la arquitectura urbana de Sevilla destacan las torres y espadañas de sus templos y conventos. Son también originales las azoteas que, en cierto modo, vienen a sustituir a patinillos desaparecidos. En el casco antiguo son pocas las casas con tejados. Casi todas están cubiertas por azoteas practicables, en las que se cultivan plantas y flores caseras: el geránio, la yerbabuena, el clavel, los jazmines, el nardo … En ellas se goza a veces de una hermosa vista de esas torres y espadañas. Ver la Giralda desde la azotea de su casa es un privilegio para el propietario.

Las casas de patio cuentan con una cancela de hierro que les da acceso. Casi todas son de finales de siglo XIX y están exornadas con volutas, hojas y lazos de herrería. En las fachadas antiguas son tradicionales los cierros, ménsulas, rejas y balcones. La pintura de la pared exterior suele ser blanca y la de los marcos y adornos, de color albero típicamente sevillano.

Pocas cosas tan propias de Sevilla como el toldo horizontal. Tan propia y tan necesaria. Durante el verano, dadas las altas temperaturas de esta ciudad, los patios y las calles estrechas y comerciales se alivian con tupidos toldos de pared a pared, que crean microclima y dan una tonalidad muy grata a la agresiva luminosidad estival. Otras veces, el toldo es signo de respeto, como en la Plaza de San Francisco el día del Corpus, que se cubre con un gran toldo para que bajo él pase el Santísimo.

Entre los detalles humanos y de cortesía, puede citarse la venia que anualmente pide la Hermandad del Gran Poder a la de Macarena para desfilar antes que ésta por la carrera oficial, ya que la segunda, por ser más antigua, debería pasar primero. Hubo una antigua concordia entre ambas, pero todos los años ha de solicitarse y concederse la excepción.

Las costumbres curiosas son numerosísimas. Entre ellas el tapeo en los bares y en las casas. En otras ciudades se bebe y el aperitivo es una excepción. Aquí no se concibe el vino o la cerveza sin las tapas. A veces se prolongan y reiteran tanto que no es necesario ya comer. Los establecimientos se valoran por la variedad y calidad de las tapas, cuya denominación alude a que incialmente se servían como tapadera del vaso o la copa. Así han sido vistas por el francés Jean Cau: "Se tapea antes del almuerzo, de la cena, por la mañana, después de comer, a cualquier hora se tapea con jerez o cafelito, con cerveza o café con leche. Se come. Hay como un hambre española que, en mi opinión, debe venir del fondo de los siglos ..."

Por las calles sevillanas todavía se oyen algunos pregones de higos chumbos refrigerados con nieve; moñas de jazmines; espárragos trigueros o silvestres; caracoles y unos barquillos de canela que se llaman "parisién".

Finalmente, porque no es posible agotar el tema, las yemas de San Leandro son también casi una institución informal. Elaboradas por monjas de clausura de un Convento de la plaza del mismo nombre, son exquisitas al paladar y se expenden por un torno, sin ver ni ser vista la vendedora. Se cuenta que Alfonso XIII, de improviso, las compró personalmente en una de sus visitas a Sevilla. Al hacer sonar mediante cadena la campanilla del torno, la tornera dijo como de costumbre: "Alabado sea Dios". Y don Alfonso preguntó: ¿Quedan yemas para el Rey de España? ...

EL FUTURO

He intentado evocar, a grandes rasgos, lo que fue Sevilla y lo que, a mi juicio, hoy significa. Se han quedado, por supuesto, en el depósito del bolígrafo muchos otros aspectos, anécdotas, nombres y detalles de esta fecunda y poliédrica ciudad, cuyo fiel retrato exige espacio y tiempo mucho más amplio. Resta finalmente por decir algo sobre su porvenir, a corto y medio plazo.

Esta ciudad tiene ya al alcance de la mano uno de los mayores retos de su historia: La Exposición Universal de 1992. La tradicional vocación americanista de la capital andaluza, que tantas señas de identidad ha impreso en su cuerpo y en su espíritu desde 1492, se pone una vez más a prueba ante la efemérides que se avecina.

Sevilla se prepara desde hace unos años para abrir sus puertas al mundo. La actual Isla de La Cartuja de Santa María de Las Cuevas es una de las mayores conquistas del urbanismo moderno. El terreno, que hasta hace poco fue presa del desconocimiento, el olvido o el abandono, es ya una espléndida realidad urbanizada. La ciudad antigua se rehabilita. Se crean nuevas infraestructuras. Se actualizan otras. Surgen nuevas rondas y calzadas. El Guadalquivir se ve atravesado por nuevos puentes, obras de la ingeniería de vanguardia. El tren de alta velocidad se acerca. Crece la construcción, aumentan los alojamientos, las transacciones se multiplican y la urbe toda presenta un frenesí creciente de aperturas, actos inaugurales, asentamientos y estrenos de todo tipo. Nuevos teatros para un despliegue cultural inusitado, pabellones para países participantes, restauración de museos, programas de exposiciones, conciertos, representaciones y diversión de todas clases. Se toca ya con la mano la Expo de los Descubrimientos. A estas alturas de la historia no se va a conmemorar sólo un hecho, por importante que sea, sino una actividad descubridora permanente del pensamiento y de la civilización humanas, que desembocó y ha de seguir conduciendo a un auge de la ciencia y la cultura.

Y luego, el 93. Sevilla habrá culminado su prevista transformación. La Expo va a dejar una herencia, en esta ocasión con beneficio de inventario asegurado. Pero será necesaria mucha imaginación, tesón y energía para que todo ello no quede almacenado en el recuerdo, sin aprovechamiento ulterior.

Sevilla y América. Améria y Sevilla. He aquí una simbiosis de pueblos con vocación de permanencia que ha supuesto un flujo de intercambios económicos, culturales, lingüísticos, artísticos y humanos. El Archivo de Indias, amén de una realidad viva y palpitante de la actualidad, debe seguir siendo en el futuro un símbolo, como otra Casa de Contratación, en la que ya no se permutan mercaderías pero sí cultura, estudios, investigación, historia común. Los lazos de una lengua y de unas ideas deben unir para siempre a los pueblos hermanos. El hispanoamericanismo es una fuerza real, fecunda, rica y provechosa que nunca puede remitir. Mañana, como hoy, ha de significar un factor perpetuo de coordinación colaboradora, bajo un lema que, podría rezar así:

Sevilla por América Hispana
América Hispana por Sevilla

***

25

Y cuando vas a retratar a Sevilla, a pintarla de cuerpo y alma, con la pluma y con la cámara, te preguntas: ¿y dónde está Sevilla? Porque en Sevilla como ciudad grande, con rondas y circunvalaciones, con su cohorte de ciudades dormitorios, con el Guadalquivir trastornado, y mirando al cosmopolitismo de la Exposición, no encontraremos a Sevilla. ¿Habrá que buscarla en sus reductos históricos, en el muro viejo de su monumentalidad y el frescor de mármol y macetas de sus patios enclaustrados? Y puede que entonces encontremos la Sevilla que entra en la óptica ansiosa del turista. El encontrar *Sevilla* quizás requiera un especial arte de cinegética urbana. Porque como a todas las piezas vivas y formidables habrá que encontrarle su día y su hora. Y para eso hay que conocerla o presentirla. Habrá que quitar la broza cotidiana de lo que iguala y generaliza, y hundir los ojos en la desnudez buscada durante el momento único y supremo. Así es posible que llegues al celeste baile de los Seises, o al fervor procesional de la Virgen de los Reyes; a las avellanas verdes de la "Velá de Sant Ana" y a esos corrales trianeros donde se visten las carretas del Rocío; a la última *sevillana* a puertas cerradas en una caseta de Feria de Abril, y a la entrada vibrante, con el alma suspendida, de ese paso de palio que no cabe por la puerta de su templo; o a esos cielos oscuros que, en los otoños, al atardecer, cubren de púrpura y negro la ciudad alegre y brillante; o incluso llegues a punto para ver cómo se desploma la última luz malva sobre la Torre del Oro, y después, con el río como boca de lobo, deje su borrón de luz en las aguas temblorosas; quizás en el rincón de una plaza surja, en azulejos, un Cristo lacerado y moribundo, que el pueblo barroco le ha colocado su altarcillo de forja y de velas, y envuelto en el marco violeta de una frondosa buganvilla... Y al asomarse la primavera, cuando comienza a oler a *Sevilla*, puedan llegarnos los aromas del naranjo y de la cera..., y en la voluptuosidad luminosa del mediodía, sintamos su alma ardiente y dulzona mientras tomamos unos "finos" entre las tinajas de *casa Morales*.

Juan Antonio Fernández Durán

En páginas anteriores, el monumento cumbre de la Exposición Iberoamericana de 1929, y obra de Aníbal González, la Plaza de España, a semejanza de la universal plaza de San Pedro del Vaticano, parece extender, en su estructura de brazos abiertos, la acogida de las provincias de España a los pueblos hispanos de ultramar; como aquélla, la romana, a todos los hijos del orbe cristiano. Aquí, dos detalles del grandioso monumento: una parte de la representación provincial y la cerámica de las balaustradas que se asoman al arco de su ría.

Partido por la avenida de La Constitución queda el centro clásico de la ciudad. A la izquierda, Correos, el Cabildo, la plaza del Almirantazgo y los barrios que se acercan a El Arenal. A la derecha, toda la magnificencia de la Catedral, el Archivo de Indias, el Palacio Arzobispal, Patio Banderas, Reales Alcázares, y toda la Sevilla antigua de calles estrujadas que corre por Mateos Gago, Argote de Molina, Hernando Colón, Muñoz y Pavón o Pajaritos, y otras decenas de placitas y retuertas que se entrecruzan y funden.

Ha sido general, a lo largo de las grandes conquistas y vaivenes históricos, que las edificaciones monumentales sean asiento del nuevo propietario, previa adaptación a sus cánones culturales. Así sucedió también con los Reales Alcázares, primitiva Ciudadela y mansión regia visigoda, que fueron transformadas en Alcazaba y Alcázar musulmanes con la llegada de los hijos de la media luna. Tras la conquista cristiana, Fernando III realizó pertinentes cambios y se aposentó en el Alcázar; y así los sucesivos reyes castellanos. El amor de Pedro I por todo lo sevillano fue sin duda la causa de las bellas aportaciones que introdujo en el histórico monumento entre los años 1353 y 1364. Los Reyes Católicos y los primeros Austrias continuaron la labor, que ha seguido intermitentemente hasta nuestros días. Hoy, los Reales Alcázares son visita obligada en la ciudad, como el segundo monumento de la misma.

El Jueves, el Rastro sevillano que remonta documentalmente sus orígenes al siglo XVI, es el histórico comercio de ocasión de la ciudad. Calles y aceras se llenan de ancianos muebles y antigüedades diversas, de ropajes, libros, monedas, relojes, herramientas de mil usos...

lo más insólito puede aparecer en esta larga vitrina que serpentea cada jueves por las estrecheces de la calle Feria y sus ensanches adyacentes. En los últimos años, un mercadillo paralelo, dominguero y amplio, ha nacido en la Alameda de Hércules. A él corresponden las dos imágenes de los extremos.

Asomándose entre naranjas, levantándose de ese jardín aromoso que es Sevilla en primavera, sube el agudo remate que transforma el romo alminar morisco en esbelta Giralda cristiana; torre emblemática y símbolo inequívoco de la ciudad.

En la otra página, bellísima, la reja renacentista en hierro dorado que cierra el Altar Mayor del primer templo sevillano. Es obra de Fray Francisco de Salazar, entre 1518 y 1529. Detrás de la áurea verja, sobresaliendo de esa férrea filigrana que delicadamente la remata, el formidable retablo continúa trepando hacia las piedras añosas de las bóvedas catedralicias.

Parece que el origen de los *seises* arranca de los niños danzantes creados por San Fernando e institucionalizados después, en 1264, durante el pontificado de Urbano IV, con las fiestas del Corpus. Abajo, a la izquierda, canónigos catedralicios con el arzobispo de Sevilla saliendo de la Catedral el día de la Virgen de los Reyes, patrona de la ciudad. En la otra página, la capilla de la Virgen de los Reyes, con el sarcófago de plata del rey Fernando III el Santo, manteniendo su cuerpo incorrupto.

Cuesta trabajo conciliar la deliciosa pequeñez de los barrios antiguos de Sevilla con el distanciamiento que entre ellos existía. ¿Es que, acaso no habrá casi dos kilómetros entre Santa Cruz y La Alameda, o entre el Patrocinio y San Julián? No cabe la menor duda que la Sevilla de mediados de este milenio era tan llana como extensa y poblada. En el siglo XVII, en las mismas fechas que la capital de España no alcanzaba los 30.000 habitantes, la capital de Andalucía excedía de los 200.000; lo que explica la multitud de barrios confusos y recoletos, exentos de esas amplias vías que hoy rompen aquella aglomerada pequeñez. Y en esta Sevilla de hoy, en que tanta ciudad residencial ha sido centrifugada del casco antiguo, se hacen más patentes esos callejones cuajados de flores, luces, sombras y colores que siguen la encantadora anarquía de una urbanización sin racionales trazados.

En las imágenes aparecen el bajísimo callejón que conecta el Patio Banderas con la Judería, y la calle Rodrigo Caro, que lleva de Mateos Gago a los muros y puertas del Alcázar.

La plaza de América, nacida con el ingente levantamiento monumental que rodeó en 1929 los prolegómenos de la Exposición, es casi tan famosa por sus miles de palomas blancas que por las valiosas edificaciones que la cercan y enaltecen. No hay niño sevillano que no haya dado de comer en sus manos los esféricos arvejones, ni parejas románticas que no hayan paseado por estos aires libres batidos por alas blancas.

Dos esculturas, dos muertes gloriosas, terribles y cruentas, dos mausoleos en el cementerio de San Fernando. Sevilla, cuna y tumba de tantos maestros del toreo, rinde aquí, entre otros, homenaje póstumo e imperecedero a estos dos grandes de la tauromaquia universal. Solitario, con el acero en la diestra y una dureza de gigante, está Paquirri, rodeado de visitantes del camposanto en el día de los muertos. Y sobre el bronce fantástico de almas desgarradas y rostros constreñidos, la palidez marmórea de Joselito. En el impresionante grupo escultórico de Mariano Benlliure queda, sobre la oscuridad triste del metal humanizado, el halo lívido del más exquisito de la dinastía de los "Gallo", el que tantas tardes pusiera las plazas mudas y en pie, hasta que aquel Miura le rasgara el vientre en Talavera.

La Cabalgata de los Reyes Magos tiene en Sevilla especial tradición. Organizada por el Excelentísimo Ateneo, recorre en las tardes-noches de todos los 5 de enero gran parte de la ciudad. Numerosas carrozas, caballos, camellos, pajes y séquito acompañan a los Magos de Oriente, encarnados por personajes de la vida política y cultural de la ciudad. Generosos hasta el derroche, Melchor, Gaspar y Baltasar van llenando de caramelos las calles y de ilusión los corazones infantiles.

Fuentes, frondas y naranjos para acunar con su murmullo, con su olor y su sombra la torridez de los días estivales. Fuentes abiertas, mediterráneas, árabes, barrocas o renacentistas, pero siempre llorándole al sol. O fuentes recogidas, escondidas en la esquina umbrosa de una calle pequeñita, derramando su agua sosegadamente, durmiendo sus pasteles de acuarela. Aquí, el estanque de Mercurio, en las bellas anchuras de los Reales Alcázares; y un rincón de oculto hontanar en la Judería.

49

El palacio de los Duques de Medinaceli o Casa de Pilato, es, con el Alcázar y la Catedral, una de las grandes joyas de la arquitectura sevillana. El palacio se comenzó a finales del siglo XV por el Adelantado don Pedro Enríquez, pero fue su hijo, don Fadrique Enríquez de Ribera quien lo enriqueció hasta los extremos hoy comprobables. Y quien, con su viaje a Jerusalén, llevó a la creencia popular de que el palacio era una copia del Pretorio de Poncio Pilato.

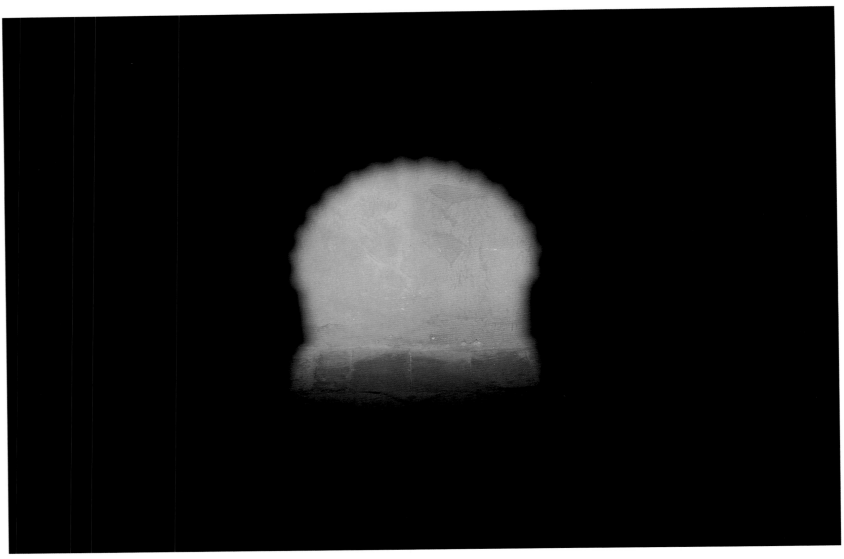

Decía José Gestoso, cuando hacía referencia a la casa de Pilato, que "en sus aposentos reverberan las irizaciones de sus vidriados zócalos, y… resplandecen las doradas techumbres cuando vagamos por sus galerías". Y haciendo referencia a sus jardines, "donde murmuran las fuentes, en torno a las cuales al caer la tarde revolotean las golondrinas y pululan las mariposas…"

…Y por las mañanas, cuando la luz celada y rosa atraviesa la filigrana de los arcos mudéjares, va pintando con luces las sombras y tendiendo la calma dorada del sol por aquellos mudos espacios.

...Y siguen las luces calando los huecos morunos, dibujando la silueta de forjas vetustas sobre
suelos de Carrara; asomándose cálida a los vanos y pintando de oro el relieve de las taraceas;
besando el labrado de las maderas; siguiendo el giro de las puertas que, al abrirse, profanan, con
un chorro de sol atrevido, el claustro dormido de las estancias.

Carece de sentido hablar de la plaza de toros de Sevilla sin referirnos a su Real Maestranza de Caballería, íntimamente trabadas desde lejanos tiempos. Las reales maestranzas de caballería, son cinco en España: Ronda, Sevilla, Granada, Valencia y Zaragoza. La de Sevilla, creada en 1671, coincidiendo con la beatificación de San Fernando, se remonta como asociación nobiliaria a fechas inmediatas a la conquista de Sevilla por el Rey Santo, con la entrega de privilegios a caballeros hijosdalgos que participaron en la heroica lucha contra el Islam.

La simplemente bella arquitectura de la plaza de toros de la Real Maestranza viste con cal de Morón
–blanquísima nieve de la cálida tierra sevillana– muros y paredones, arcos y filos de tejaroces, ribetes de
los tendidos, y todo el exterior de la plaza, donde el enjalbegado de los años forma costras de redoblada
blancura. Y cuando acaba la Semana Santa, en ese domingo de Resurrección que marca el inicio de la
temporada taurina, la Maestranza aparece limpia y alba, como esa galería de gradas altas, como una niña
en su Primera Comunión.
Sobre estas líneas un despacho de localidades de reventa, donde para las grandes corridas se rompen
todas las ilusiones, incluso las amparadas por abultadas carteras.

Sólo cinco años después de su fundación, la Maestranza sevillana ofrecía los primeros espectáculos públicos en la plaza cuadrada de San Francisco. Otros ejercicios ecuestres, como las Cañas Públicas, se ejecutaban en la Alameda de Hércules, en Tablada, en El Arenal... La proliferación de las fiestas en este último lugar, utilizando un cuadrilongo fijo, debió ser la causa de que allí se construyera la actual plaza de cantería, comenzada en 1758 bajo la dirección del maestro mayor de la ciudad, Vicente de San Martín. En 1765 se construye el palco del Príncipe, valiosa labor escultórica del lusitano Cayetano de Acosta. El famosísimo palco se halla dedicado al Infante D. Felipe, hijo de Felipe V, que fue el primer miembro de la Familia Real que ostentó el cargo de Hermano Mayor de la Maestranza. En la otra página, sin duda anhelando el acceso al histórico coso, un maduro maletilla para tristemente bajo uno de los más ostentosos carteles del actual mundo taurino.

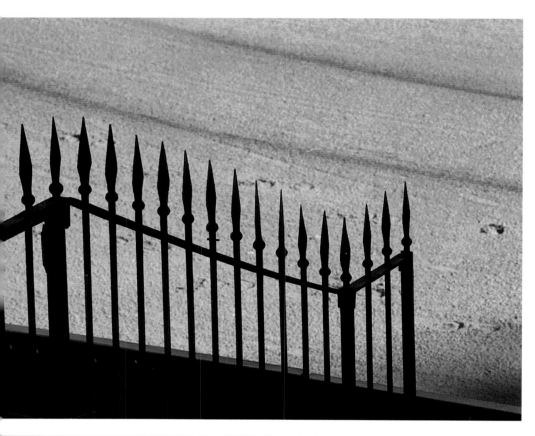

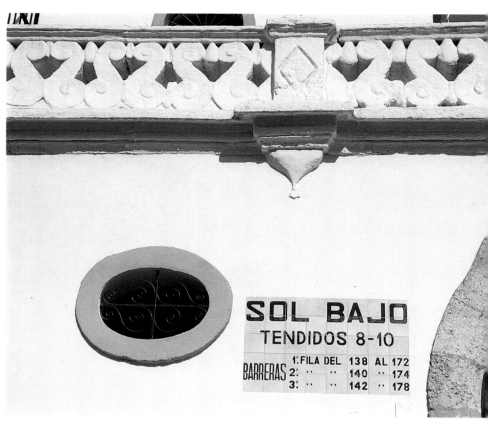

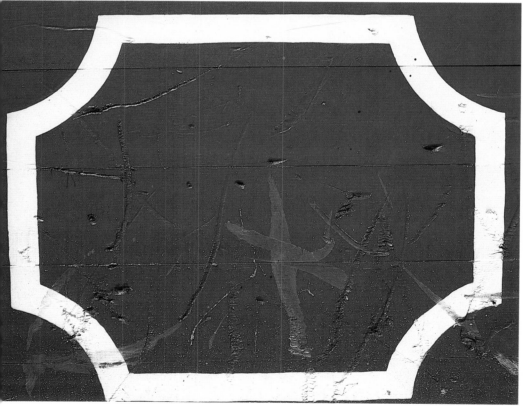

Esta plaza de colores vivos, justamente entonados a los más puros y castizos de Sevilla, consigue una universal armonía consigo misma y con el alma de la ciudad que representa. Sevilla tuvo otra plaza, la Monumental, enorme, de cemento y hormigones, pero el pueblo no la quería, aunque en ella toreara Joselito *el Gallo*. Porque los sevillanos querían a su Maestranza, la de las calles como soles, la del albero gualda y burladeros rojísimos como banderas de España, la de las forjas negras y zócalos de calamocha, con gradas de amarillo cremoso por las que brinca la Giralda, y una Puerta del Príncipe por la que sólo salen a hombros los auténticos faraones.

61

Dijo don José Ortega y Gasset, que también hizo profunda filosofía en el difícil mundo de los toros, que "pocas cosas en todo lo largo de su historia han apasionado tanto y hecho tan feliz a nuestra nación como esta fiesta. Ricos y pobres, hombres y mujeres, dedican una buena porción de cada jornada a prepararse para la corrida, ir a ella, y hablar de ella y de sus héroes".

Delante de la Puerta del Príncipe, entre las altas rejas rematadas en punta de lanza, las paredes de la plaza rebrotando sol y la madera roja para abrirse, Sevilla espera la corrida; corrida grande de día de Feria, de "farolillos", como aquí se le llama. Muchachas con los trajes de faralaes, peineta y mantilla –los mantones de Manila, como colgaduras en día de Corpus, cubrirán después las barreras o la forja curva de los balcones de grada–; muchachas vestidas de "corto"y rojo, con el slogan universal del "sol de Andalucía" para la Feria de Abril.

Sobre estas líneas, siempre en los materiales y colores de Sevilla, con el sello inconfundible de Aníbal Gonzáes, aparece la capillita de la Virgen del Carmen, devoción de tantas trianeras, que levanta su cúpula y su torre en el arranque del puente de Isabel II, frente al Altozano; a su lado queda una vista parcial del Casino de la Exposición, anexo al teatro Lópe de Vega, obra inspirada en el barroco sevillano; y la torre de la iglesia neoclásica de San Ildefonso, en la plaza del mismo nombre.

Hermosísima, la estación de ferrocarril a Córdoba y Madrid, alza sus arcos y azulejería en una construcción de magnífico estilo árabe en la antigua plaza de Armas. Construida entre 1898 y 1901 por el ingeniero Suárez Alvizu con un tipo de cimentación netamente original. Sobre el ladrillo tostado y la cerámica colorista, se curva la armadura férrea que se extiende a los andenes. La vidriera frontal es un caprichoso *puzzle* de destellos de luz durante gran parte del día.

En 1845 se construyó el primer puente fijo sobre el Guadalquivir: fue el bello puente de Triana o de Isabel II. En 1929, con motivo de la Exposición Iberoamericana, el río era atravesado por dos más: el de San Telmo y el de Alfonso XIII, también llamado el "de Hierro", por la compleja construcción acerada típica de los trabajos de Eiffel. Y en 1968 se construye el puente de los Remedios o del Generalísimo, que conecta el parque de María Luisa con el de los Príncipes y accede a las vías más recientes de la margen derecha del río. La Exposición del 92 incluye la construcción de siete nuevos puentes. Éste, el de La Barqueta, ya totalmente terminado, es, dentro de su maciza robustez, de originalísimo y hermoso diseño.

Sevilla, con una altitud media aproximada de cero metros sobre el nivel del mar, podría ser una ciudad a lo Venecia o a lo Amsterdam. Décadas atrás cualquier crecida del Guadalquivir inundaba desde la Alameda a San Bernardo, y sólo las embarcaciones eran transeúntes de sus calles. Aún aparecen en algunos puntos, como en el lateral oeste del hospital de las Cinco Llagas, contrafuertes de piedra, verticalmente acanalados, para colocar maderas y cortar el paso de las aguas. El aterramiento de Chapina, en 1950, y la corta de la Cartuja, en 1968, eliminaron definitivamente las inundaciones de la ciudad. Pero del imperioso Guadalquivir sólo quedó un brazo cegado y muerto, y otro, aguas abajo, controlado por esclusas y compuertas. La inmensa remodelación de la isla de La Cartuja, como infraestructura para la Exposición del 92, y de la que estas imágenes corresponden a fracciones y elementos casi terminados, incluye un Guadalquivir que volverá a fluir por su cauce primitivo e histórico.

A comienzos del siglo XV se fundó el monasterio de frailes cartujos de Santa María de las Cuevas, en honor de la Virgen del mismo nombre, aparecida en este rincón de la orilla derecha del Guadalquivir. De este grandioso monasterio cartujo, en 1838 transformado en fábrica de cerámica, se ha segregado el llamado Conjunto de Afuera, construido en gran parte durante el siglo XVIII, para instalar el futuro Pabellón Real de la Exposición Universal del 92.

La tradición y la riqueza que en la cerámica artística comenzó a atesorar Sevilla, explica que a finales del siglo XV un gran número de artistas franceses, flamencos, alemanes e italianos trabajaran en la ciudad en unión de los artífices sevillanos. Y consecuencia de ello fue el florecimiento que alcanza el arte del azulejo sevillano a lo largo del XVI. Tras largos períodos de estancamiento y decadencia, el siglo XX inició una nueva etapa de esplendidez de la que existen importantísimas y magnas obras testimoniales. La fábrica de Santa Ana –a la que pertenecen estas imágenes– es de las pocas que mantienen el arte cerámico en sus más puras formas de artesanía y tradición.

Entre la vasta masa uniforme de una ciudad, existen quienes "sin ser nadie", sin alzar apenas la voz, llenan con su personalidad no adocenada, por el mero hecho de ser fieles a ellos mismos, a su vida y a su trabajo, toda la historia del rincón de una calle. Y los miramos con temeroso fervor, porque sabemos que el día que ellos mueran lo harán también esas almas silenciosas, esa espiritualidad transcendente que les asociamos a los hombres y a las cosas. En la calle Betis, rozando las aguas que bajan de los riscos de Cazorla, está la barbería de Los Pajaritos. Cara al río están las jaulas de los canarios, los jilgueros y chamarines; dentro, entre espejos, útiles y recuerdos, Francisco barbea y corta el cabello. Nadie le sucederá en el trabajo –¿Quién aprende hoy el oficio de barbero?–, y el día que Francisco muera quedarán poco más que estas o análogas reflexiones sobre tipos de imprenta. ¡Y qué pena si también algún día desaparecen los hábitos de las monjitas! y sólo vemos, ya envejecidas, imágenes como éstas, contando su dinero para pagar el trajín de una vida que felizmente desconocen.

Antes que aparecieran las modernas galerías comerciales, muchas nacidas como racimo de tiendas *underground* tras el desescombro y reurbanización de casas patricias, la plaza del Pan cubría un acerado de comercios casi gemelos, pequeñitos; casi mínimos talleres y mostradores de seculares oficios. Platerías, relojerías, zapaterías… Hoy, la mayor parte ha sido reemplazada por comercios más actualizados. Aunque sigan quedando algunos de los primitivos, como esta tienda de efectos militares.

Sería difícil decidir un punto en la vieja ciudad que marcara el centro de la misma. Pero entre los 2 ó 3 primeros intentos seguro que aparecería La Campana. La Campana es una tienda de confites, una moderna cafetería elegante con el soporte tangible de su antigüedad venerable; La Campana es comienzo y presidencia en la carrera oficial de las procesiones de Semana Santa; La Campana es centro neurálgico del comercio de Sevilla…; La Campana es también –¿por qué no decirlo, sabiéndolo toda Sevilla?– donde tenía su sitio Curro, el bético de los periódicos.

Aledaño a la Universidad, frente al Alcázar y la calle San Fernando, se alza uno de los grandes hoteles del mundo. Inaugurado en abril de 1928, y proyectado por el arquitecto José Espiau, el hotel Alfonso XIII muestra los elementos arquitectónicos de la España meridional, con su influencia morisca, su fachada de ladrillos bermejos, jardines de palmeras y copiosas frondas. La suntuosidad de sus interiores, de altos techos ricamente decorados, marmóreos pavimentos y valiosa azulejería de los mejores artistas trianeros, ha venido acogiendo, en sus lujosas *suites*, jefes de estado, familias reales y personajes famosos en el mundo de las finanzas y de la cultura. La fotografía muestra una galería lateral en el silencioso comienzo de la mañana.

A la izquierda, entre chorros de agua no oceánica, el monumento a Juan Sebastián Elcano, en la glorieta de los Marineros Voluntarios, frente al puente del Generalísimo y el paseo de las Delicias.

Parece hasta lógico que no quepan en sus pequeñas islas, en sus millonarias megápolis, y estos hijos del imperio nipón van saliendo en ordenadas oleadas turísticas hacia todo el mundo. Amantes de lo español y enamorados de lo andaluz, los que perdieron una guerra y están ganando la penúltima, los herederos del kamikaze y del harakiri, abrazan ahora la guitarra y estudian los bailes gitanos, y en su educada invasión a nuestra cultura hacen de Sevilla alma y emoción para el resto de sus vidas. Aquí, un grupo en los salones de los Reales Alcázares. A la izquierda, entre chorros de agua no oceánica, el monumento a Juan Sebastián Elcano, en la glorieta de los Marineros Voluntarios, frente al puente del Generalísimo y el paseo de las Delicias.

81

Los domingos invernales de cielo limpio, los sevillanos se hermanan con su río. No es necesaria la llegada de la primavera o los calores del estío para que aparezca la confraternización en esta ciudad fluvial por naturaleza y estructura. Grupos de pescadores echan su rato de tertulia y paciencia a la espera de que la anguila, la carpa o el barbo sufran el error de sus instintos; parejas y gente joven surcan las aguas con botes o patines, mientras quedan en sombra las casas bonitas y tan sevillanas de la calle Betis. Al fondo aparecen las arcadas férreas, con recuerdo parisino, del puente de Isabel II.

Los distintos clubes náuticos y de remo asentados en el Guadalquivir han venido propiciando a lo largo de los últimos años el incremento de distintas modalidades deportivas. Y el amplio y sosegado cauce del viejo Betis se ha transformado últimamente en lugar idóneo para entrenamientos y enmarque ideal para competiciones. Al fondo, dos torres del palacio de San Telmo –antiguo Seminario Metropolitano, museo histórico desde Bécquer a los Montpensier, y muestra del arte escultórico de Antonio Susillo–, los palmerales de sus jardines, origen del parque de María Luisa, y, ya a la derecha, la cúpula del pabellón de Chile y una de las torres de la plaza de España.

El Guadalquivir "sevillano", el que refresca los barrios de El Arenal y algunos trianeros o de Los Remedios, es navegable desde la corta de Chapina –ya por poco tiempo– hasta su misma desembocadura en la sanluqueña Bonanza. Y embarcaciones de mediano porte realizan un bonita singladura turística que comienza por las orillas del paseo de Colón y de la calle Betis, sigue hasta el Club Náutico y el puente de Alfonso XIII, para entrar finalmente por el delta y las llanadas marismeñas, y acabar degustando, si el bolsillo lo permite, los claros langostinos de Sanlúcar –el marisco más delicioso y preciado del mundo– con una botella de vino de esa tierra: la leve y transparente manzanilla.

Aunque sea una maravilla de metal e ingeniería, el puente levadizo de Alfonso XIII, popularmente llamado *de Hierro*, cederá su puesto a otro anexo, que ya se construye, dentro de los macroplanes urbanísticos del 92. En sus entronques, embarcaciones deportivas del antiguo club náutico.

Todo el barrio de Santa Cruz es de una pequeñez equilibrada, de una estrechez medida; y la toponimia de sus calles se traslada a lo tangible y a lo sentido, de la historia perdida a la humanidad reconocible. Éste es uno de los patios más frescos y floridos; tropicalización de una floresta entretejida con escudos y blasones; un patio noble y siempre encarcelado que da al Callejón del Agua, colindante al muro del Alcázar. Frente a él, la salida de la calle Judería a la plazuela de Las Cadenas, con toda su obra blanca rematada por un torreón almenado de los Reales Alcázares y la cima luminosa de La Giralda.

La plaza de América, como tal plaza, espacio abierto y decorativo entre los edificios que enmarcan la unidad monumental, fue inaugurada en abril de 1916. Posee una planta central con escalinatas que alcanzan una enorme fuente y estanque donde viven nenúfares y peces de colores, está bordeada de bancos y pedestales con fruteros de ladrillo entallado y candelabros de forja calada de bella factura plateresca. En las áreas bajas circundantes queda la rotonda del Quijote, con bellísimos bancos de mampostería, macizos florales… pequeñas y múltiples fuentes de gastada cerámica donde beben niños y palomas.

Ésta es una de esas pequeñas fuentes de sabor árabe que lloran más que cantan, que murmuran más que hablan y que viven arrullando en el centro de cualquier plaza. Ésta, con su dorada flota de naranjas, es la del Patio Banderas, centrada entre piedras nobles y muros encalados y rodeada de un claro patio de banderas y naranjos.

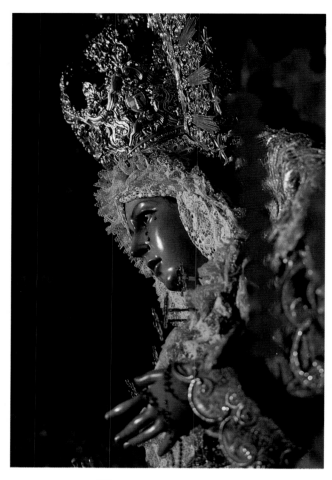

Ha pasado ya la una de la tarde y la
Hermandad de la Macarena comienza a entrar
en su templo, del que salió a las 12 de la noche
del día anterior. Lento y grandioso
procesionar por las calles de Sevilla. Ahora,
junto al arco amarillo ocre de la famosa puerta
de la antigua ciudad, homónimo de la Virgen,
del barrio y de la Hermandad, para, rodeado
de hermanos, *armaos* empenachados de
airosas plumas, y una muchedumbre que lo
cubre todo, el Cristo de Morales del siglo
XVII. Después –2.000 nazarenos acompañan
las imágenes– llegará la Virgen de la Esperanza
Macarena, con el oro y la plata de su palio
regado de claveles, tirados de los balcones de
cien calles, aumentará el bullicio, sonará la
música, mecerán el *paso* los esforzados
costaleros, y la más popular Virgen de Sevilla
entrará en su templo mientras los sevillanos,
en una extraña mezcla de amor divino y
sentimiento humano le gritarán como a una
mujer hermosa: "¡Guapa, guapa…!".

El Viernes Santo, en la exaltación cumbre y casi extrema de la Semana Santa sevillana, sale El Cachorro de su templo de la calle Castilla, y cuando la tarde se tiende, acabada y sanguinolenta sobre el Guadalquivir, la imagen del Cristo moribundo pasa lenta sobre los arcos del puente de Triana. Dicen que esta imagen del XVII, obra cumbre del barroco sevillano, debe ese realismo extremo del momento de la expiración a las notas que tomó su imaginero –Francisco Antonio Gijón– de un gitano que, herido, agonizaba en el regazo de su madre, que gemía, diciéndole "¡Mi cachorro…!".
A la derecha, un hermano penitente acompaña el paso del Cristo de Ocampo, magistral obra de 1622. La túnica blanca descapuchada se estampa en la canastilla de caoba y el florón de claveles rojos.

Las obras monumentales son normalmente tan largas como su propia grandiosidad. Pero según esta generalización, el Ayuntamiento de Sevilla, el día que quede definitivamente terminado, tendría que ser una de las creaciones arquitectónicas más valiosas de la Humanidad, porque van ya para cinco los siglos que la trazara y comenzase el arquitecto Diego de Riaño. De lo que no hay duda es que el nobilísimo edificio, aún inconcluso, posee una opulencia decorativa de difícil emulación estética, y puede ser considerado como una de las muestras más ricas y puras del estilo plateresco. Aquí aparece con los palcos de Semana Santa, en una mañana con malos augurios de Domingo de Ramos.

Luces y sombras, clamor y silencio solemne, entusiasmo íntimo y contenido que escapa a veces en la voz llorosa de una *saeta*. E invisibles, escondidos bajo las tallas grandiosas y la profusa ornamentación exterior, los hermanos costaleros llevan, en buscada y gloriosa penitencia, los enormes y pesados *pasos* de las cofradías sevillanas.

La tradición cofradiera de la capital hispalense se arrastra en la historia desde el siglo XV, y en los sevillanos desde que apenas aprenden a andar. Muchos padres inscriben a sus hijos como hermanos de su cofradía antes que en el Registro Civil. Y son muchos los niños que realizan pronto su innecesaria penitencia en determinadas hermandades que con Reglas menos severas, lo permiten. Van con la faz descubierta, indagando esa apoteosis nueva que lame sus vidas, y sintiéndose dioses importantes y pequeñitos en el umbral de un mundo que, temporalmente, tanto habla de Dios.

Tradicionalmente, los costaleros, que sobre sus hombros, al paso rítmico y acompasado que le marcan los capataces, llevaban los *pasos* de la Semana Santa sevillana eran profesionales que cobraban su bien merecido jornal. Ya hace años que la profesionalidad se hizo entrega desinteresada y el salario se trocó en amor. Y las cofradías fueron sustituyendo aquel escogido proletariado por sus propios hermanos, con el nombre de Hermanos Costaleros, que voluntariamente buscan el alto honor de portar sus veneradas imágenes a hombros que se amoratan y descarnan.

A la derecha, los penitentes de la hermandad de Los Estudiantes, bajo el sol pleno de la tarde de Martes Santo a su paso por la calle de San Fernando.

Las procesiones religiosas en general poseen un cuádruple carácter: el costumbrista, el popular, el ceremonial y el litúrgico. Frente a las arcaicas procesiones de rogativas, invocando a Dios, la Virgen y los Santos en petición de gracias; y las de gloria, festivas y de regocijo popular, las procesiones de penitencia de Semana Santa, son cofradías reglamentadas que manifiestan con lujosos *pasos* de valiosas tallas las escenas de la Pasión de Cristo.

Aunque de las cofradías extinguidas quedan mínimos datos, así como de las del siglo XVI, la antigüedad documental no es inferior a esta época. Las llamadas Hermandades de Luz y de Sangre aparecen en la segunda mitad del siglo XVI, y existe constancia de sus actividades religiosas, entre las que estaba la de procesionar durante la Semana Santa.

Sobre la canastilla de caoba se alza una montaña de lirios morados; en los extremos, cuatro gruesos cirios de amarillo abeja; y en el centro, la genial talla de Juan de Mesa, con el mentón hacia el pecho, los hombros relajados y la serenidad de la muerte en la parálisis del tiempo. Es el Cristo de la Buena Muerte que ahora pasa entre la Lonja y una esquina de la Catedral.

Por la calle de San Fernando, entre muros seculares y estiradas palmeras, viene la Cofradía de Los Estudiantes. En filas rígidas y paralelas, magnificando estaturas en el cono agudo del capirote, embutidos en túnicas de ruán negro y llevando en las manos gruesos cirios de color de ala de abeja, mil trescientos hermanos cofrades inician su recorrido de penitencia.

Tres en punto de la tarde, y tarde de Jueves Santo. Se acaban de abrir los portalones del templo de la calle Recaredo, frente a la también cofradiera iglesia de San Roque, y asoman las túnicas de cola de la Hermandad de Los Negritos. Un sol cenital y crudo se desploma sobre los penitentes blancos.

La Hermandad de El Baratillo, en el barrio del mismo nombre, procesiona penitencialmente la tarde de Miércoles Santo. Mil cien nazarenos, con túnicas azules de cola en el paso del Cristo y blancas en el de palio, siguen la carrera oficial y las calles de acceso a su templo. Aquí el *paso* de La Piedad por la plaza del Triunfo, pegada a los muros del Alcázar, a la salida de la Catedral. En la otra página, un hermano con vara de mando, perteneciente a la Hermandad de El Resucitado. La Moderna Hermandad nació en 1969 y fueron aprobadas sus reglas tres años más tarde. Realizó su primera estación de penitencia en la Catedral, en la Semana Santa de 1982.

Verde y amarillo son los colores más castizos de Sevilla. Verde para puertas y ventanas, para herrajes y hasta para los canalones del agua; y a este verde se le llama verde "Sevilla"; amarillo dorado, ocráceo y calamocha, amarillos gualdas como el albero de Alcalá, el que enciende el coso de la Maestranza… Después viene el rojo, menos definido, entre carmín y fuego y oscura sangre de toro. De negro se cubre la forja antigua y los hierros ornamentales. Y el blanco… el blanco cae sobre media ciudad desde el cielo.

Raúl Jimenez
10 Años

SEVILLA

LA
CHISPA   TRIANA   BUCARO

VIVA
SEVILLA

MACARENA
PAREJO
EITO 9 años

La calle Torneo (ver
páginas anteriores),
larga y ancha hasta el
exponencial
incremento de la
demografía
automovilística, es una
de las clásicas arterias
periféricas del casco
antiguo de la ciudad.
Un muro de
centenares de metros
separaba patriarcales
casas enjalbegadas de
los paralelos aceros
del ferrocarril y del
brazo muerto del río.
Pautado en relieves
rectangulares, fue
marco idóneo durante
los últimos años para
que, masiva y
ordenadamente, los
colegiales sevillanos
fueran dejando, año
tras año, sus
inspiraciones
pictóricas. Ya el muro
ha caído: la piqueta
del primer munícipe
ha abierto un balcón a
las aguas del
Guadalquivir y a la
Exposición Universal
del 92. Quedan pues
aquí, imperecederos,
los colores y la
creación de los últimos
niños artistas.

Ni la mágica sabiduría del tarot, ni la esfera de cristal, que como pantalla del futuro utiliza la pitonisa, tienen nada que ver con la *buenaventura* gitana, que a veces ni siquiera utiliza su quiromancia *sui generis*. Se trata, como su nombre ya indica, de una retahíla de gratos augurios con el gracejo indefinible de la mujer gitana, que, en medio de cualquier calle nos clava sus ojos negros, eleva la diestra hacia los nuestros, y nos llena los oídos con lo que todos querríamos oír con sello de autenticidad.

Sevilla fue asiento siempre de famosas academias de baile flamenco: *Realito*, Enrique *el Cojo*... entre los antiguos; Caracolillo, Matilde Coral, Fernanda Romero –sobre estas líneas–... entre las actuales. Singularmente la alumna que aquí baila es una americana venida ex profeso desde Filadelfia. Y alguien pensará: "¿Es que acaso necesitan aprender las mujeres sevillanas?"

Fundada por Publio Cornelio Escipión el 206 antes de J. C., la ciudad de Itálica, en el término municipal de Santiponce, a seis kilómetros de Sevilla, fue la primera ciudad fundada en España por el imperio romano. Frente a la antigua Hispalis, vivió una larga época de esplendor como ciudad residencial y de lujo; prueba de ello, no sólo son sus restos, sino hechos tan sustanciales como que tres emperadores de Roma –Trajano, Adriano y Teodosio– nacieran en Itálica.

Con el nombre de Hospital de la Santa Caridad se incluye la totalidad del conjunto arquitectónico que componen estos patios de suelos marmóreos y cálida pintura; la iglesia, que encierra valiosas telas de Murillo y Valdés Leal y esculturas de Roldán; así como las salas hospicianas que albergan residencialmente a numerosos ancianos. Fue don Miguel de Mañara, caballero de la Orden de Calatrava, el gran impulsor de la Hermandad de la Santa Caridad y de cuanto esta institución sigue representando, desde que en el siglo XVII fundara el primitivo hospicio.

Fueron numerosos en Sevilla los típicos corrales de vecinos, o casas de vecindad abierta, donde cada inquilino poseía una habitación familiar y luego hacía uso de los servicios comunes de cocina e higiene. Estas casas-corrales en gran parte han desaparecido y en otra, más pequeña, han sido restauradas al objeto de cumplir con los requisitos de habitabilidad oficialmente exigidos. Sin embargo, si bien han perdido mucho de su primitiva forma de vida comunal, mantienen la estructura arquitectónica de sus orígenes. Ésta, de dos pisos y antiguas galerías, es la de la calle Alcázares, entre Sor Ángela de la Cruz y la Plaza de la Encarnación.

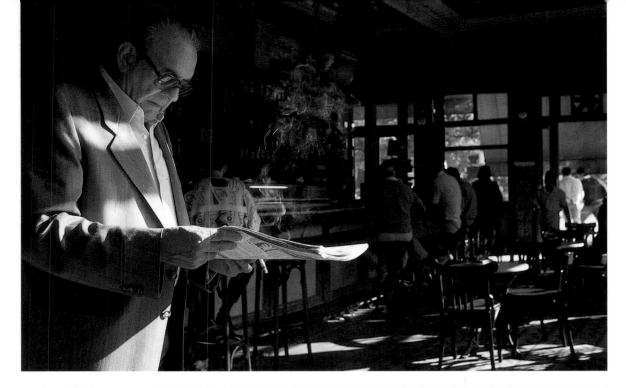

La vida abierta y extrovertida del pueblo andaluz, meridional por antonomasia, marca en Sevilla quizás sus más altas cotas. Sevilla vive en sus calles y hace vida de familia en sus bares; de familia también abierta, anónima y hermana, donde están los de siempre y nunca faltan los de cualquier día. Bares de café con churros —aquí se llaman "calentitos"—, de noche o de buenos tapeos de mediodía. El de la cola de toro, el de los buenos callos —aquí se llama "menudo"— o los "pavías" de bacalao, o los de bebida a secas, con cacahuetes o altramuces, para después arrimarle el "pescaíto" frito de la calle de San Jacinto. Aquí, *Río de la Plata*, en la puerta de La Macarena; *Bar Alfonso*, en Pagés del Corro; *Casa Ruiz*, en la trianera calle Castilla; y *La Albahaca*, en el barrio de Santa Cruz.

En la calle Tetuán, que paralela a Sierpes también se dirige del Ayuntamiento a La Campana, está uno de los azulejos más conocidos y representativos de Sevilla: el que adornaba la fachada callejera del antiguo bar *The Sport*, más con facha de club inglés que de bar tapero a la sevillana. El azulejo, anuncio de los automóviles Studebaker, muestra a unas "niñas topolinos" de los años 20 mirando con atención la escultura de El Pensador de Rodin. Desapareció el bar con pinta y nombre anglosajones y su lugar lo ocupa una joyería; pero el Studebaker, como dice la broma popular, continúa circulando en contramano.

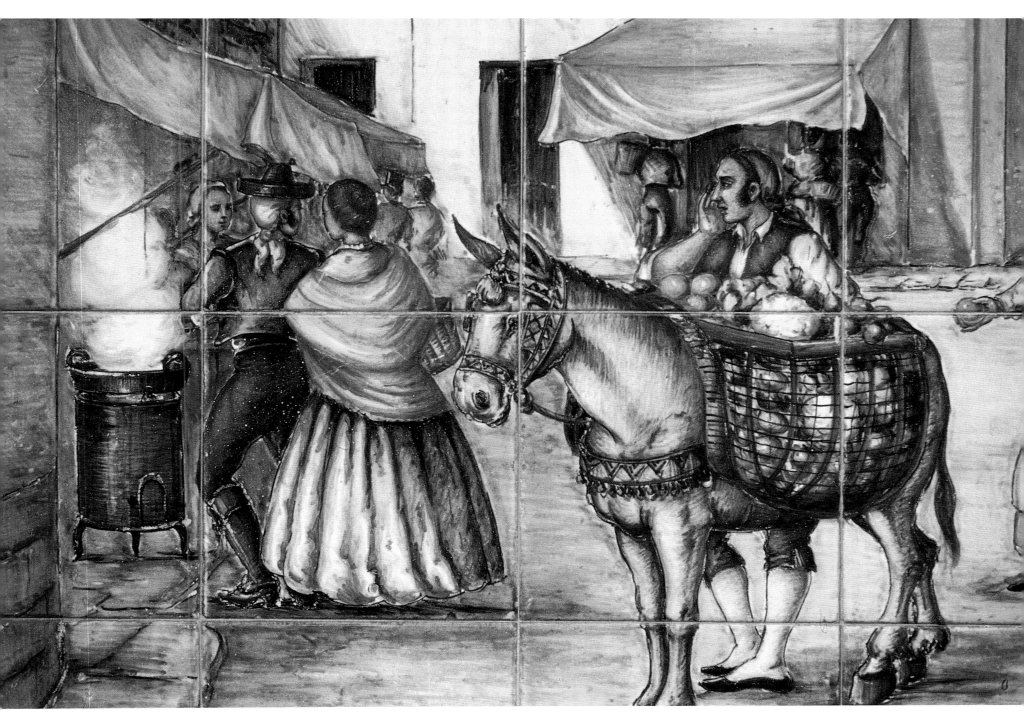

Como muestra este azulejo de un bar de la plaza del Almirantazgo, así debió ser el castizo rincón, a juzgar por los grabados de la época. Un poco más adentro, y dando entrada al barrio del Postigo, la plaza se cierra y da paso bajo el arco almenado del Postigo del Aceite, que con la puerta de La Macarena, es lo único que queda de las entradas que abrían el antiguo recinto amurallado de la ciudad.

Ha desaparecido aquella ciudadela de fuertes murallas almenadas, palacio de reyes moros y cristianos. Pero, el monumental Alcázar sevillano encierra suficientes valores arquitectónicos —lejanos unos, de más reciente construcción otros— para hacer del conjunto interior uno de los más bellos palacios históricos de España. Desde el patio de las Doncellas, de recargada ornamentación mudéjar, hasta el salón de Carlos V, de riquísimo artesonado, pasando por la sala de los Reyes Católicos y el bello patio de las Muñecas, poco hay que no deleite y asombre. Aquí vemos el estanque de Mercurio, con el dios en bronce, fundido por Bartolomé Morel en 1576, y una entrada al jardín del Crucero, entre colores castizos, como el fucsia de las buganvillas, el amarillo y el calamocha.

En el casco histórico de una ciudad mesurada como era Sevilla, la Catedral, con los volúmenes más grandes de todos los templos del mundo, desorbita el orden de las dimensiones y hasta la fuerza de la pluma que los describe. Catedral y Giralda parece que lo llenaran todo y que obligasen a una polarización de los encomios en detrimento del encanto de la armónica pequeñez y del detalle. Pero es que sus cúpulas, sus agujas y torre, aguda como espingarda cristiana, ciertamente están por todas partes. Aquí, la cúpula del Sagrario de la Catedral saliendo sobre las frondas frescas del patio de Los Naranjos. Y a su derecha nuevamente Catedral y Giralda; ahora adjuntas al edificio de la Diputación.

La construcción de la primitiva Casa Lonja tuvo como motivo la eliminación de tratantes y corredores de comercio que dirimían sus negocios de compraventa y cambios en las eclesiales gradas de la Santa Catedral. Pero por aquel entonces –el edificio se levantó entre 1584 y 1598–, Sevilla era la puerta mercantil de América y, como tal, el puerto de mayor comercio de Europa, por lo que las generosas dimensiones de la severa obra herreriana no serían inútiles. La sobria elegancia del edificio lo dice todo, porque la Lonja sevillana se construía cuando se acababa El Escorial, y los lápices que diseñaron el que después y ahora sería el Archivo de Indias estuvieron fraternal y estilísticamente emparentados con los que crearon la obra de Felipe II. Aledaña, la piedra luminosa de la cara sur de la Catedral, rematada al fondo con la torre magna de Sevilla.

En la iglesia de Montesión ha comenzado a vivir la Semana Santa, y esta mañana de Domingo de Ramos las imágenes y los pasos son masivamente visitados. Pero esto son sólo prolegómenos de lo que será más tarde la plaza de Montesión, en el centro de la calle Feria: antípoda de la insólita soledad en que se encuentra esta transitada vía entre las cadenas de la Catedral y el monumento a la Purísima. En la otra página, la cálida intimidad de un patio más –éste en la calle San Eloy–, con sus columnas de mármol y los tiestos adocenados.

Fracción central, con obras de restauración, del bellísimo semióvalo de la plaza de España. Las numerosas dependencias y oficinas oficiales que alberga el gigantesco arco de edificación cubierta, ceden primacía a la Capitanía General, centro del conjunto arquitectónico y de la imagen.

Vista aérea de la plaza de América, conjunto monumental de amplio simbolismo en el proyecto general de obras para la Exposición Iberoamericana de 1929. Son visibles las tres edificaciones básicas: Pabellón Real, Pabellón Mudéjar y Pabellón de Bellas Artes, que después pasaría a museo arqueológico de la ciudad.

La vista aérea se centra en la plaza que hasta 1864 ocupaba la Puerta de Jerez, una más de las que, antes de la destrucción de las murallas de defensa de la ciudad, daban entrada a la Sevilla intramuros. A la derecha llega la calle de San Fernando, entre las palmeras y tejados del hotel Alfonso XIII; a la izquierda Almirante Lobo y Sanjurjo; y en las zonas inferior y superior, respectivamente, la avenida de Roma y de la Constitución. Justamente antes de comenzar esa última avenida, a su derecha, está el palacio de Yanduri, donde nació Vicente Aleixandre, el poeta Novel; y donde Franco estableció el primer cuartel general de la Península.

Vista superior del Palacio de San Telmo entre el Alfonso XIII, la antigua Universidad y el Guadalquivir. El palacio, con su recargada y discutida portada churrigueresca, fue construido entre 1682 y 1796 para colegio de mareantes, actividad con la que inauguró sus inmensas aulas y salones. Comprado por los duques de Montpensier en 1849, lo convirtieron en su palacio residencial después de grandes obras de embellecimiento. A la muerte de la infanta María Luisa pasó el palacio al arzobispado hispalense y quedó convertido en seminario eclesiástico. Antes, la misma infanta cedió parte de los jardines del palacio a la ciudad de Sevilla, los que ampliados dan hoy lugar al, por ello llamado, parque de María Luisa.

Sevilla no es víctima
universal de sus
tópicos ineludibles,
porque ello
representaría renegar
de su muy definida y
genuina personalidad.
Otra cosa es rodearla
de falsas o hiperbólicas
realidades. Sevilla es
así y ésto: una ciudad
de luz y colores
propios, donde algunos
"taxis" —ojalá lo
fueran todos— son
coches de caballos de
ruedas amarillas; con
mesones que se caen de
viejos y relucen de
limpios, como ese de la
calle Dos de Mayo;
donde el vino de Jerez
se bebe más que el
agua; con una calle
Sierpes de casinos,
toldos en verano y
relumbrones de
azulejos amarillos; con
el Postigo del Aceite; y
la Virgen del Mar con
los faroles torcidos;
con cantoneras de
hierro en las esquinas
de retuertas
estrechitas; y las calles
de los barrios con
jaulas de pajaritos
colgadas en las puertas
encaladas (páginas
anteriores).

Dos momentos, cualesquiera; dos rincones, los que sean –la plaza del Pan y el puente de San Bernardo–, para encontrarle a la vida sus contrastes crudos, casi despiadados y crueles.

"Ínclitas razas, ubérrimas, sangre de Hispania fecunda. Espíritus fraternos, luminosas almas ¡Salve!" Así, como Rubén Darío en sus versos, saludó Sevilla en 1929 a los pueblos hermanos de Hispanoamérica. Y fue la Plaza de España, la obra magna del arquitecto Aníbal González y Álvarez Ossorio, la muestra clara, luminosa y señera de bienvenida a aquellos pueblos transoceánicos. En la inmensidad de su arco se aposentaron, en ofrecimiento supremo, las provincias de España. Sus puentes, en ladrillo entallado y policroma cerámica sevillana, simbolizan un solo paso entre las aguas atlánticas; y las dos torres extremas, espigadas, como agujas clavándose en el cielo, esa subida a los espacios azules y homogéneos que unen almas nobles y espíritus gemelos.

La fuente, grande, en el centro de la inmensa ágora; siguen las aguas de una ría que recorren con su estuario la semielipse de su diseño; los arcos, puentes de escalinatas amparados por barandales de la más genuina cerámica sevillana, dan paso a la pluralidad de España, con sus provincias como pabelloncitos de escaparate; después la obra alta y cubierta, las torres esbeltas donde asentaron primeramente museos, exposiciones, aulas, bibliotecas. Así es la plaza de España, construida en una armónica conjunción de estilos clásicos y sevillanos, con ladrillos entallados, mármoles blancos y cerámica polícroma. El genio de su arquitecto equilibró los rasgos del renacimiento sevillano de los siglos XVI y XVII con formas y elementos del XX.
Aquí, un extremo de las aguas, con su cohorte de barquitas blancas, y la parte inferior de la torre norte; y a la derecha, uno de los puentes en arco que acceden a las edificaciones.

140

Como inmensas mariposas llegadas de un fabuloso rincón de Disneylandia, como un sueño español de Cenicienta, reposa la tela y el encaje hechos color y dibujo de Andalucía. Son las ropas de volantes y lunares que se abren como hongos fantásticos en el giro soberbio de la danza, recuerdo de aquellas que acompañaron por el mundo la voz y el duende de Pastora Imperio o la Piquer… Son los almacenes de alegres faralaes de "Creaciones Mari Cruz"; esa que nos recuerda:
"…Y es Mari Cruz la mocita, la más bonita del barrio de Santa Cruz…" como dice la vieja copla.

Nada tiene que ver este patio vecinal trianero, con la primitiva funcionalidad que se le asignó durante su construcción en 1928. El hotel Triana –éste fue y éste sigue siendo su nombre– fue diseñado al estilo de los clásicos patios y corrales de vecinos sevillanos para hospedar visitantes de la Exposición Iberoamericana del 29. Terminado el transatlántico certamen, tras un cierto tiempo de vaivenes y paralizaciones, una hábil transformación en las distribuciones interiores, convirtieron aquellas originales *suites* a la sevillana en pisitos adosados, limpios, de corredores abiertos hacia un amplio patio de tierra alcalareña y barandas y soportales en madera pintada de azúl. En los veranos el vasto patio terrizo del hotel Triana es aprovechado para fiestas verbeneras y ciertos actos culturales.

En las modernas barriadas de suburbio, el patio como espacio común, como atrio de frescura y de macetas, como zaguán amplio de guijos tras la cancela de hierro, ha desaparecido. Las universales y feas torres que circundan acolmenadas cualquier ciudad del mundo moderno, con seres enclaustrados en reducidos habitáculos, parecen construidos ex profeso para no vivir, al menos para no vivir en paz. Sólo las prendas colgadas entre esos volúmenes innobles disfrutan de cierta fuga hacia la vida, hacia una serenidad más limpia y libre.

A la llegada de la primavera, esa primavera tantas veces adelantada en la cálida capital andaluza, de entre la hoja recia y nervuda, del verde intenso de los naranjos, brota la blancura del azahar, y un olor dulzón de perfume voluptuoso inunda los rincones viejos de la ciudad; aquellos que, apretados entre calles delgadas y placitas de corte diminuto protegían con sus sombras de ese sol siempre derramándose de los cielos bravos. Es el color de Sevilla, de la Sevilla antigua, de la que vive adormecida en los más recoletos barrios, algunos olvidados pero íntegros, y otros, como éste de Santa Cruz, que representan la vitrina turística y de protocolo. Aunque no por eso con menos sabor y representatividad en toda su "fachada".

En el parque de María Luisa, muy próxima a la torre norte de la plaza de España, está la glorieta de Bécquer. Y rodeando a un gigantesco taxodium americano plantado hace siglo y medio, un marmóreo monumento rinde homenaje al poeta de las Rimas y las Leyendas. Los comienzos de la veleidosa primavera dejan muchos días la carga de sus cielos negros sobre la ciudad luminosa y colorista. Inermes, los coches de caballo, durante estos caprichos de la meteorología, se cubren con impermeables negros hasta que se abra el cielo, y se incendien de nuevo sus ruedas amarillas.

Aunque viva en el recuerdo imborrable de quienes alguna vez la vivieron, la Feria de Abril, reconocida como uno de los magnos festejos universales, carece, sin embargo, del asoleramiento y la antigüedad de otras manifestaciones del pueblo de Sevilla. De origen agropecuario, como feria de ganado, la actual fiesta se inicia con una cierta modernidad en 1847. Hoy, la Feria, que asienta vastamente entre Tablada y el Guadalquivir, es un inmenso derroche de color durante el día y de luz en el alborozo de sus noches.

A altas horas de la noche, la Feria rompe muchos moldes y todas las ortodoxias, pero el *leit motiv* del cante y del baile, y del saber beber con señorío, sigue vigente. La Feria de Abril, inconcebiblemente, sólo emborracha de vida.
Aquí, un grupo cualquiera, espontáneamente, baila en medio de una calle, bajo los farolillos que destrozó la lluvia.

Y de día, a la puerta
de su caseta, besándole
el Jerez los labios…
La
piel tersa, de mármol y
fruta;
hechura de diosa
oculta e interrumpida;
morbidez cálida bajo
el encaje y la tela:
sevillana bonita.

Normalmente, con poco más de una semana de transición, Sevilla pasa de su Semana Santa a la Feria. Aún no ha habido tiempo de quitar a las túnicas de nazareno las manchas de cera y ya el penitente se viste de corto, se cala el sombrero de ala ancha y sube al alazán con un revuelo de caireles. Se cambian las mantillas negras por los trajes de lunares, las buñoleras gitanas fríen sus delicias de harina y de azúcar, y los puestos de "garrapiñadas" de la plaza de la Encarnación se hacen botijos lebrijanos bajo el sol del Real.

154

El mes de las aguas mil cumple cada año el dicho refranero, y la Feria abrileña pocos años se libra de las lluvias. Unos se limitan a asentar el polvo y aliviar el calor con algunas rociadas intermitentes, otros, más atrevidos, deslucen días enteros, decoloran y ajan los farolillos, y reducen sustancialmente la semana ferial. Pero los hay también malvados y voraces, que enlutan los cielos cada día, y entre vientos y trombas de agua, acaban con el mimo decorativo de las calles, con el albero de las calzadas, y arrebatan a los visitantes alegrías e ilusiones.

Pero el sevillano mira al cielo, lo ve torvo y entra en su caseta vestida de colores. Mira el agua que chorrea por las lonas, los farolillos de afuera, deshechos de tanto aguantar la pertinacia de los chubascos, se encoge de hombros y, con el jerez en la mano, se une a los que cantan y bailan sin importarle en exceso las bromas de una Feria majadera.

Mucho hay de sorprendente para quien observa la Feria abrileña con los ojos bien abiertos, pero quizás su horario desconcertaría especialmente. No se llega a la Feria antes de la una, cuando se comienza a copear y a pasear a caballo; se acaba de comer entre 4 y 5; una corta siesta, y a vestirse para los toros: traje oscuro, corbata y puro para los hombres; buena ropa de moda, o la mantilla sobre alta peineta acompañando al traje de flamenca —imagen izquierda— para la mujer. Después una interrupción hasta que llegue la noche caprichosa e infinita.

Si hubiera quien pudiese reclamar derechos de propiedad espiritual de la Feria sevillana sería el pueblo gitano, porque gitanos —gitanos sevillanos— son los cantes y los bailes; gitanos son sus trajes de vuelo y de volantes, sus flores en el pelo, sus peinecillos y sus pendientes; gitana, —pretendidamente gitana— es la mímica y el duende de la danza que interpretan los "payos", y la voz rajada de las noches largas.

Los sevillanos propietarios de casetas, y sus numerosos amigos e invitados, hacen sus comidas (potaje de garbanzos, jamón de Jabugo, buen queso, mejores gambas…) en sus bulliciosas y adornadas casas de lona. Los foráneos entran en los grandes casetones, como chiringuitos de buena ley, que son los restaurantes típicos del ferial.

Pero, en uno y en otro, nadie pierde el buen talante y el humor. Los solitarios bebedores de la derecha brindan al fotógrafo con su vasito de garvey, mientras también, para no ser menos, lo hace el gigantesco *caballo de copas*.

La Feria se vive igual de noche que de día; igual en cantidad, que no en forma. Largas veladas en las casetas cerradas, que frecuentemente finalizan cuando apunta el día, y continuas idas y venidas a la "Calle del Infierno", nombre que tradicionalmente se da a su fabuloso parque de atracciones. Es entonces, cuando los chorros de luz de los monstruosos aparatos mecánicos —norias gigantes, toboganes, montañas rusas, galeones, látigos... y otros más sofisticados— muestran ostentosamente su dinámica y belleza. El resto del ferial, con sus calles de nombres de toreros, fija sus posiciones entre las hileras de bombillas municipales.

Arriba queda una fracción de la luminosa puerta del Real de la Feria frente a un gajo mínimo de luna naciente.

Feria por fuera y por dentro. Feria de caballos, de jinetes y amazonas; Feria de calesas y troncos largos de mulas enjaezadas, de cocheros a la rondeña; de volantes que cubren las grupas o rebosan de coches de caballo. Feria de caseta y de descanso, de estancia larga como hogar entre lonas y telas de lunares, con el revuelo alegre de las "sevillanas" bajo un techo de flores de colores.

En las primeras horas de la mañana la soledad de la Feria es proverbial. El cansancio paró la última "sevillana" y las voces se ahogaron con el último cante; cesaron de vibrar los bordones de los pianillos y los piteros agotaron el aire enrarecido de sus esforzados pulmones… Y dentro sólo quedaron más botellas vacías que llenas entre el jaleo final de la fiesta y la algazara. Pero mañana será otro día.
Es también la hora de la limpieza, como muestra aquel empleado municipal embutido en impermeable color de canario. Ha sido una noche taimada, que ha deshecho los farolillos de papel y arrastrado el albero del Real.

Geranios, macetas, abanicos verdes de palmera, muros del Alcázar, farolas de hierro un día alimentadas con gas o aceite… la estrechez abigarrada; luces y sombras en el rincón de la Judería.
Y la plaza de La Alianza, rociada de sol y de turistas, el torreón almenado y el estípite de la palmera emulando, por elegancia y perspectiva, la largura hacia el cielo de La Giralda…; y un Cristo de azulejos muriendo en el marco violeta de las buganvillas (ver páginas siguientes).

Ya desaparecieron, años atrás, casi todas las "copas" –que es como en Sevilla se le llama a los braseros de carbón–, las que bajo la mesa-camilla hacían delicias de intimidad con los rigores del invierno. De hierro o de cobre, en forma de cuenco poco profundo y alado como un sombrero boca arriba, la "copa" se llenaba de "picón" y se recubría de cisco, y luego se hacía arder a los menudos carbones en combustión lenta y ordenada, con habilidosos toques de badila. Y el calorcillo, bajo las faldas de la camilla, subía por las piernas íntimo y gustoso. La electrificación y los gases combustibles acabaron con las "copas", y también con las carbonerías. Ésta de la calle Parras, podríamos decir que es un "mirlo blanco", si su color, descaradamente, no lo contradijera.

No ha sucedido lo mismo con los típicos castañeros, que cuando el otoño se afina pardo y frío, comienzan a esparcir su aromoso humo blanco por calles y plazas, y a regalar la fragancia dulzona y tibia de la cataña tostada.

La plaza de toros de Sevilla puede hacer centro entre los confusos barrios de El Arenal y del Baratillo; más hacia el río y la Torre del Oro el primero, y hacia Arfe y el Postigo el segundo. Aquí, en esta vista aérea, corre a la izquierda el paseo de Colón –auténtica avenida del Guadalquivir– y a la derecha las calles Adriano y Pastor y Landero. En los primeros planos vemos parte de la calle de Antonia Díez. Perpendicular a ella, accediendo a las reales arenas, el corto y estrecho callejón de Iris –el más pequeño y en el centro inferior de la fotografía–, tradicional entrada de los toreros a la plaza.

Decía Rafael Gómez *el Gallo*, ese torero de larga vida vocacional y tan ligada a la Maestranza sevillana, que "con el toro bravo hay que estar como una tabla, como una estatua, como un *soldao*, porque el toro bravo está pendiente de los dos objetivos: del cuerpo del torero y del engaño, y, si se mueve primero el cuerpo que la muleta, el toro se va para el cuerpo. Ya *embarcao* el toro se puede mover el cuerpo. El toro hace lo que el tren si te pones en la vía y no te mueves, pero si te retiras, el tren pasa. Hay que cuidarse muy bien de que el sitio del toro sea *pa* el toro".

Entre los grandes problemas que vivió la plaza de la Maestranza se cuentan las supresiones de corridas por Fernando VI en 1754 y Carlos III en 1758, que supusieron largas pérdidas de ingresos y suspensión de las obras ya comenzadas. Jovellanos y Cadalso, fueron, con otros pensadores, quienes más influyeron en tales posturas regias durante esa segunda mitad del siglo XVIII. Pasados estos difíciles tiempos, se continúa la construcción de la plaza, que en 1881 quedó prácticamente como hoy la admiramos. 123 años de intermitente trabajo había supuesto la realización de la plaza de toros más bella y venerada del mundo: catedral del toreo, con su Puerta Santa –la del Príncipe–, como los grandes templos de la cristiandad.

Un día grande para la Real Maestranza: el de inauguración de la temporada taurina; un cartel mágico: Curro Romero, Espartaco y la alternativa de Aparicio. Y la plaza más sabia en toros del mundo se llena a reventar. Estamos en suerte de varas para el tercero de la tarde, el astro se derrite sobre los tendidos de solana y veintisiete mil ojos están pendientes del encendido albero, que impone el silencio solemne de la plaza.

La primitiva cartuja de Santa María de las Cuevas, fundada a comienzos del siglo XV y tan vinculada a la universal historia colombina –en ella se dio sepultura a los restos del Descubridor durante 30 años; y también en ella, se dice, dejó Colón a su hijo a su marcha hacia las Indias–, perdió toda su ingente riqueza tras la inútil desamortización de Mendizábal –siempre más atento a los intereses británicos que a los de su patria–. En 1838 la razón social Pickman y Cía. compró el monasterio y montó en el mismo la fábrica de cerámica artística que lleva su nombre. La alteración de las edificaciones a que obligó el desarrollo industrial, motivó el traslado de numerosas obras de arte a la iglesia de la Universidad.

Fracciones bajas de los hornos cerámicos de La Cartuja, en ladrillos refractarios y numerosos cinchos de hierro. En la parte superior, sus chimeneas, espigadas y gemelas, levantan altos sus fustes de arcilla trabajada. Y en los atardeceres, cuando el Guadalquivir enrojece, quedan sus cinco siluetas negras clavadas contra el poniente.

Telas pintadas a mano con motivos locales o de época, barillaje labrado en marfil, en hueso, en ébano… la artesanía paciente del artista que ya desaparece… Esta es una muestra de valiosos abanicos de Casa Rubio, clásica tienda de regalos de la calle Sierpes.

El bordado religioso es artesanía sevillana por excelencia, y su carácter industrial no lo poseen otras ciudades andaluzas que también visten a sus propias imágenes procesionales. Sobre terciopelos de primerísima calidad, el hilo de plata u oro va tejiendo vastos dibujos de dinámica y relieve con toda la fuerza imaginativa de un pueblo lleno de luz y de brillo; profusión de curvas que recorren, con hiperbólico barroquismo, las extensas superficies de los mantos y los palios de las vírgenes. Solemne y majestuoso, el bordado sacro sevillano posee el ingenio de evitar la confusión de sus abigarrados dibujos y mantener el ritmo de una simetría atrevida y liberal. En la imagen, una bordadora de los talleres de José Manuel Elena Caro, en la cofradiera calle de Jesús del Gran Poder.

Ausentándose cada día más de las metrópolis, la venta callejera va siendo excepción sometida a calendario que incrementa su viejo encanto. El precio oscilante, la humanización del trato mercantil y el contacto confuso e íntimo entre compradores y objetos entra justamente en la idiosincrasia genérica del sur. Entre otros, el mercadillo de animales de la plaza de la Alfalfa es tan tradicional como variopinto, y cada mañana dominguera cantan los canarios flautas en sus jaulas enanas, danzan amorosos los periquitos en sus jaulones comunes y rebullen lastimeros los gatos y perritos. Y niños y mayores se asoman a estos escaparates al alcance de la mano. Sobre todo los niños, con su mirada siempre curiosa, anhelante o sorprendida, sea ante una vida diminuta o por el simple paso del peaje tras los hierros de una ventana.

Como sombrerillos de setas amarillas, los toldos de Río Grande, en la orilla derecha del río, dan pie y marco a la Torre del Oro, la Giralda, la moderna obra de Moneo para Previsión Española, y toda esa Sevilla que parece enlazada con Triana, como si no existieran las aquí invisibles aguas del Guadalquivir. En la otra página, la hermosa torre de Santa Ana, en la calle Pureza. Esta pequeña catedral trianera, data de finales del siglo XIII. En este templo parroquial se venera la Virgen de la Victoria, a la que dieron gracias los marineros de Juan Sebastián Elcano a la vuelta de su mundial periplo. Ahora, como una colorista tela de araña, los farolillos de su "cruz de mayo" envuelven la iglesia de la *Seña Sant Ana*.

186

Es sólo la salida de las carretas del Rocío. Después, hasta llegar a la aldea almonteña, los cansinos bueyes tendrán que arrastrarlas por difíciles caminos y profundos vados, pasar las aguas del "Quema" y los arenales blandos de La Raya: entre tres y cuatro días de peregrinación para postrarse a las plantas de la Virgen más romera de España.
A la derecha un rincón de la plaza del Triunfo, con las palmeras de la Lonja, su parada de coches de caballos, y la obra catedralicia levantándose al fondo.

BIBLIOGRAFÍA

Sevilla pintoresca. JOSÉ AMADOR DE LOS RÍOS

Sevilla y Cádiz. PEDRO DE MADRAZO

Establecimientos de caridad en Sevilla. FRANCISCO COLLANTES DE TERÁN

Sevilla en el Siglo XIII. ANTONIO BALLESTEROS BERETTA

Las calles, las casas y los jardines de Sevilla. VICENTE TRAVER, JOAQUÍN ROMERO MURUBE, ALFONSO GROSSO Y JOAQUÍN «MDNM» HAZAÑAS

Sevilla en el Imperio. SANTIAGO MONTOTO

Sevilla en la Baja Edad Media. ANTONIO COLLANTES DE TERÁN

Historia de Sevilla. JOAQUÍN HAZAÑAS Y LA RÚA

Las leyendas y tradiciones de Sevilla. JOSÉ Mª DE MENA

Historia de Sevilla. JOSÉ Mª DE MENA

La Sevilla que se nos fue. JOSÉ Mª DE MENA

Patrimonio monumental y artístico del Ayuntamiento de Sevilla. FRANCISCO COLLANTES DE TERÁN

Doña María Coronel. CARLOS ROS

Anales de la Real Plaza de Toros de Sevilla. MARQUÉS DE TABLANTES

Todo Sevilla. FISA

Por sevillanas. JEAN CAU

Andalucía. JOSÉ Mª PEMÁN

Gran Enciclopedia Rialp

Enciclopedia de Andalucía

Sevilla. EDICIONES GEVER

Campanilleros y villancicos de Sevilla. CARMEN RAMÍREZ

Plantas y jardines de Sevilla. JOSÉ Mª IZQUIERDO

Divagando por la ciudad de la gracia. JOSÉ Mª IZQUIERDO

El retablo mayor de la Catedral de Sevilla. MONTE DE PIEDAD

Sor Angela de la Cruz. CARLOS ROS

Iconografía de Sevilla. FOCUS

Nuestra Andalucía. JOSÉ Mª PEMÁN, ANTONIO BLANCO, JOSÉ L. ACQUARONI, NICOLÁS SALAS, JOAQUÍN C. LÓPEZ LOZANO

El cartel de Sevilla. AYUNTAMIENTO Y MINISTERIO DE CULTURA

EN LA VILLA DE TORREJÓN DE ARDOZ,
EL DÍA 22 DE SEPTIEMBRE
DEL AÑO 1990,
FESTIVIDAD DE LOS SS. MAURICIO Y VICTOR,
ACABÓSE DE IMPRIMIR ESTE LIBRO
EN LOS TALLERES GRÁFICOS
DE JULIO SOTO.